本試験型 '25年版

漢字検定
試験問題集
3級

成美堂出版

目次

「3級」試験問題・最新の傾向

●受検者数と合格率

2023年度の漢字能力検定試験の志願者数はおよそ141万5千人になりました。「3級」の受検者数は各級の中でも最も多く、年間およそ31万6千人の人が受検しています。これは受検者全体の4分の1近い数字になります。

「3級」の合格率は5割弱ですので、合格するのは2人に1人程度。試験当日に問題の解き方がわからなくて慌てないよう、どのような問題が出題されるのかを知って対策をねっておくことも大切です。

●最新のテスト傾向

平成29年改訂の小学校学習指導要領が2020年度から全面実施されたことに伴い、漢字検定でも一部の漢字の配当級が変更され、「岐」が3級配当漢字から外れ、7級配当漢字になりました。また、「茨」「媛」「岡」「熊」「埼」「鹿」「栃」「奈」「梨」「阪」「阜」など16字が2・準2級配当漢字から7級配当漢字へ移動することとなりましたので、3級の出題範囲になり、3級でも出題される可能性があります。しっかりと学習しておきましょう。

3級の出題内容

中学校卒業程度

3級では、小学校で習ういわゆる学習漢字（教育漢字ともいう）一、〇二六字に、その他の常用漢字五九七字を合わせた計一、六二三字から出題されます。これは、だいたい中学校卒業程度までに習う漢字に相当します。

「3級配当漢字」が重要

その他の常用漢字五九七字には、特に3級用に配当されている漢字が二八四字含まれています。3級に配当されている漢字なので、「3級配当漢字」といって、3級では非常に重要な漢字です。

読み	書き
常用漢字のうち、学習漢字一、〇二六字を含む一、六二三字。中学校で習う読みまで。	上記と同じ。

計一、六二三字のうち、中学校卒業程度までに習うすべての読みと書きが、「読み」と「書き」の両方の領域で出題されます。

読み・書き・部首

3級の出題領域は、「読み」「書き」「部首」の三つに分類できます。

読み　「読み」では、「3級配当漢字」の読みの問題が中心になります。また、学習漢字で中学校で習う読みや、常用漢字付表の熟字訓・当て字が「読み」に出題されます（P109に「3級に出る熟字訓・当て字」、P112に「学習漢字で中学校で習う読み」を収録）。

書き　「書き」では、答えの多くは4級以下から出題されますが、「3級配当漢字」のなかからも出題されます。また、「短文中の書き取り」では、約半分が「3級配当漢字」で答える問題となっています。

部首　令和三年度の試験では、約8割が「3級配当漢字」で、あとは4級以下の漢字の部首を問う問題となっています（P110に「部首で出題される下級の漢字」を収録）。部首名を問う問題は出ていません。

出題内容と領域

3級の出題内容と領域との関係は次のようになります。

出題内容	領域
●短文中の漢字の読み	読み
●同音・同訓異字	読み
●漢字識別	読み
●熟語の構成	読み
●部首	部首
●対義語・類義語	読み・書き
●漢字と送りがな	書き
●四字熟語	読み・書き
●誤字訂正	読み・書き
●短文中の書き取り	書き

表の下段の「読み・書き」とは、領域としては「読み」も「書き」も含まれるという意味です。例えば、問題箇所の漢字が読めなくては答えが書けないというようなことです。

級別出題内容（一例）

「—」は出題されません
9・10級は省略

内容／級	短文中の漢字の読み	筆順・画数	漢字識別	部首・部首名	熟語の構成	漢字と送りがな	対義語 類義語	三・四字熟語	同音・同訓異字	誤字訂正	短文中の書き取り	漢字数
8級	短文中の漢字の読み	筆順・画数	—	同じ部首の漢字	—	送りがな	対義語	—	音訓判断	—	短文中の書き取り	四四〇字
7級	短文中の漢字の読み	筆順・画数	漢字えらび	同じ部首の漢字	—	送りがな	対義語	二字熟語	音訓判断	—	短文中の書き取り	六四二字
6級	短文中の漢字の読み	筆順・画数	漢字えらび	部首・部首名	熟語の構成	漢字と送りがな	対義語 類義語	三字熟語	同音・同訓異字	—	短文中の書き取り	八三五字
5級	短文中の漢字の読み	筆順・画数	漢字えらび	部首・部首名	熟語の構成	漢字と送りがな	対義語 類義語	四字の熟語	同音・同訓異字	—	短文中の書き取り	一、〇二六字
4級	短文中の漢字の読み	—	漢字識別	部首	熟語の構成	漢字と送りがな	対義語 類義語	四字熟語	同音・同訓異字	誤字訂正	短文中の書き取り	一、三三九字
3級	**短文中の漢字の読み**	**—**	**—**	**部首**	**熟語の構成**	**漢字と送りがな**	**対義語 類義語**	**四字熟語**	**同音・同訓異字**	**誤字訂正**	**短文中の書き取り**	一、六二三字
準2級	短文中の漢字の読み	—	—	部首	熟語の構成	漢字と送りがな	対義語 類義語	四字熟語	同音・同訓異字	誤字訂正	短文中の書き取り	一、九五一字
2級	短文中の漢字の読み	—	—	部首	熟語の構成	漢字と送りがな	対義語 類義語	四字熟語	同音・同訓異字	誤字訂正	短文中の書き取り	二、一三六字

準1級	読み	書き取り	熟字訓 当て字	熟語の読み 一字訓読み	国字	誤字訂正	同音・同訓異字	対義語 類義語	四字熟語	故事 ことわざ	文章題（書き・読み）	約三、〇〇〇字
1級	読み	書き取り	熟字訓 当て字	熟語の読み 一字訓読み	国字	誤字訂正	同音・同訓異字	対義語 類義語	四字熟語	故事 ことわざ	文章題（書き・読み）	約六、〇〇〇字

本書は出題が予想される形式で構成しています。実際の試験は、日本漢字能力検定協会の審査基準の変更の有無にかかわらず、出題形式や問題数が変更されることもあります。

3級の採点基準

教科書体が基準

解答は、筆画（点や画）を正しく、明確に書かなくてはいけません。くずした字や、乱雑な書き方は採点の対象外となります。

一画一画、はねるところ、とめるところなどにも採点の目が光ります。もちろん、点が抜けていたり、不要な点があったりするとバツです。

字体としては、小学校の教科書に使用されている文字の字体（教科書体という）が理想的です（本書のテスト解答は教科書体を使用）。

また、3級では常用漢字の旧字体、常用漢字以外の漢字などは正答と認められません。

教科書体	明朝体《みんちょうたい》
哀	哀
遇	遇
廴	廴

ふだんは通用する略字やくせ字もバツですから、十分注意しましょう。

筆画を正しく

巧 はねる　甲 とめる　又 はらう　欧 続けない　伏 点つき

こんな字はバツ

［略字］ 臨×（臨）　閲×（閲）

［旧字体］ 樓×（楼）　擇×（択）　搖×（揺）

他の採点基準

その他の採点基準を簡単にまとめておきます。

読み　音読み・訓読みは、常用漢字表が採点の基準になっています。3級では、常用漢字表以外の読みは正答と認められません。

送りがな　「送り仮名の付け方」（内閣告示）によります。

筆順　筆順は、「筆順指導の手びき」が基準になっています。

部首　部首は、参考書によって多少異なりますが、「漢検要覧2〜10級対応 改訂版」（日本漢字能力検定協会発行）で示しているものを正解としています（「3級配当漢字」の部首はP100に掲載）。

合格基準　二〇〇点満点で、正解率七〇パーセント前後が合格の目安となっています。一四〇点前後取れば合格です。

答案用紙　本試験では、問題文とは別の答案用紙に答えを書きます。P126のコピーして使える答案用紙を利用してください。

3級の実施要項

受検資格に制限なし

受験資格　小学校、中学校、高等学校、専門学校などの児童、生徒から大学生、社会人まで、だれでも受検できます。

申込方法　個人で受検する場合は日本漢字能力検定協会のホームページから申し込みを行います。

受検方法　個人受検には①「公開会場」での受検、②「漢検CBT」、③「漢検オンライン（個人受検）」の三種類があります。以降では①「公開会場」での受検を説明します。

検定料　検定料は変わることがあるので、漢字検定の広告や問合せ先のホームページなどを見て下さい。

申込期間　検定日の約二か月前から約一か月前まで。

申込後の変更　申込締切日までは、「マイページ」上で「住所」、「電話番号」、「受検地」の変更および、「検定料が同じ級」への変更、申込キャンセルが可能です。「検定料が異なる級」への変更は、元の受検級のキャンセル後に再申し込みが必要です。

全国で定期的に実施

検定日　定期的に実施しています。検定協会に問い合わせてください。

検定会場　全国主要都市。申込時に選択できる受検地から自分の希望する場所を選択します。

検定時間　六〇分。開始時間の異なる級を選べば、二つ以上の級を受検することができます。

合否の発表　検定日から所定の日数後、合格者には合格証書、合格証明書、検定結果通知などが、不合格者には検定結果通知が郵送されます。

問合せ先　公益財団法人日本漢字能力検定協会（本部：〒605-0074京都市東山区祇園町南側五五一番地）ホームページにある「よくある質問」を読んで該当する質問がみつからなければメールフォームでお問合せください。電話でのお問合せ窓口は〇一二〇－五〇九－三一五（無料）です。

検定日の注意事項

❶受検票を忘れず持参しましょう。受検中、受検票を机の上に置かなくてはなりません。
❷検定会場へ自動車やバイクで行くのを禁止している会場が多いので事前に確認しましょう。
❸HBかBの鉛筆、または濃いシャープペンシルを持参しましょう。鉛筆は二本、また鉛筆がけずれる簡単なものを用意しておくと安心です。そして、消しゴムも。ボールペン、万年筆などの使用は認められません。
❹検定開始の一五分前までに検定会場に入りますので、遅れないようにしましょう。
❺検定中は携帯電話を必ずOFFにしておきます。
❻検定が終わると全員に後日標準解答が郵送されます。自分が書いた答えを覚えているうちに標準解答で自己採点をしましょう。
❼検定が終わっても受検票は捨てないで、合否通知が届くまで大切に保存しましょう。

※本書の情報は2024年10月現在のものです。

（テストに入る前に）

①
テストに取りかかる前に、P100からの「チカラがつく資料」に目を通されることをおすすめします。

②
解答は筆画を正しく、明確に書きましょう。

③
解答時間を守りましょう。

④
最後の第15回までやりとげましょう。

⑤
自己採点は厳格に行いましょう（別冊の解答と照合する）。

⑥
間違えたところは二度と間違えないように心がけましょう。

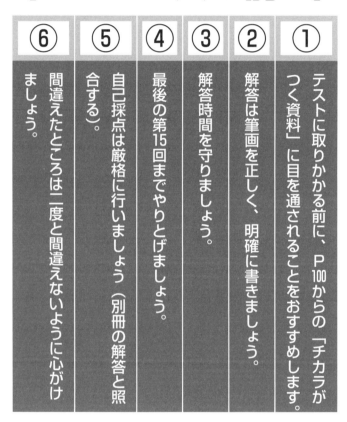

テスト&資料《チカラがつく》

答えに、常用漢字の旧字体や常用漢字以外の漢字および常用漢字表にない読みを使ってはいけません。

テストの構成

(一)読み
(二)同音・同訓異字
(三)漢字識別
(四)熟語の構成
(五)部首
(六)対義語・類義語
(七)漢字と送りがな
(八)四字熟語
(九)誤字訂正
(十)書き取り

3級 第1回★テスト（60分）

◇合計点◇

（200点満点の　　　点）

● 140点以上 合格
● 110点以上 合格まであと一歩
● 80点以上 さらに努力を
● 79点以下 受検級を考え直しましょう

1×30　／30

(一) 次の――線の漢字の読みをひらがなで記せ。

1 商品をたなに陳列する。（　　）
2 幸運にも陪席の栄に浴した。（　　）
3 社会への奉仕につとめる。（　　）
4 水墨画のような風景が続く。（　　）
5 労働者の人権を擁護する。（　　）
6 不当廉売を法で規制する。（　　）
7 新しい炊飯器を買う。（　　）
8 駐在所に拾得物を届けた。（　　）
9 事故の際に適切な措置をとる。（　　）
10 父が漢詩を朗詠する。（　　）
11 祖父は団塊の世代に属する。（　　）
12 適当な間隔を空けて並ぶ。（　　）
13 この部屋は湿気が多い。（　　）
14 粋な模様の和服を着る。（　　）
15 将来を嘱望されている青年だ。（　　）
16 雇用保険の加入資格を調べる。（　　）
17 新時代への胎動を感じる。（　　）
18 花の香りが鼻孔をくすぐる。（　　）
19 このテープは粘着力が強い。（　　）
20 古典音楽の神髄を味わう。（　　）
21 悟り切った様子で動じない。（　　）
22 時代劇に侍の役で出演する。（　　）

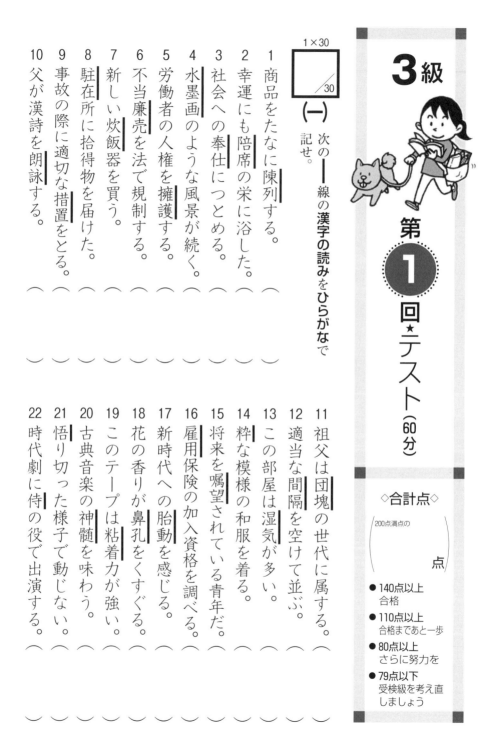

23 川の浅瀬を歩いて対岸に渡る。（　）
24 計画が滞ったままでいる。（　）
25 姫ユリはユリ科の多年草だ。（　）
26 八百屋でぶどうを一房買う。（　）
27 捨てネコが哀れな声で鳴いている。（　）
28 試合に負けて悔しい思いをする。（　）
29 長く緩やかな坂を下る。（　）
30 夕食に天ぷらを揚げた。（　）

2×15 /30

(二)

次の――線のカタカナにあてはまる漢字をそれぞれのア〜オから一つ選び、記号を記せ。

1 険ソな山道を登山隊が行く。
2 建物のソ石だけが残っている。
3 健康のためソ食を心掛ける。
（ア素　イ阻　ウ粗　エ礎　オ訴）

4 祖母のソウ儀が行われた。
5 全校生徒で校内を清ソウする。
6 ソウ方の言い分を聞く。
（ア掃　イ燥　ウ葬　エ草　オ双）

7 タイ慢な仕事ぶりにあきれる。
8 商品のタイ久性をテストする。
9 昼夜交タイで勤務する。
（ア怠　イ替　ウ逮　エ耐　オ退）

10 親子の愛ゾウを描いた小説だ。
11 若者の群ゾウを描くドラマを見た。
12 デパートのゾウ答品売り場に行く。
（ア贈　イ憎　ウ造　エ像　オ象）

13 旅行中に交通事故にアう。
14 手をアげて横断歩道を渡ろう。
15 失敗の原因を胸に手をアてて考える。
（ア会　イ当　ウ遭　エ挙　オ合）

2×5
/10

(三)

1～5の三つの□に**共通する漢字**を入れて熟語を作れ。漢字は**ア～コ**から**一つ**選び、**記号**を記せ。

1 禁□・□中・年□（　）

2 □栄・空□・□心（　）

3 不□・□事・□兆（　）

4 暴□・□待・残□（　）

5 投□・□権・放□（　）

ア 調	イ 賛	ウ 忌	エ 機	オ 棄
カ 断	キ 漢	ク 虐	ケ 吉	コ 虚

2×10
/20

(四)

熟語の構成のしかたには次のようなものがある。

ア 同じような意味の漢字を重ねたもの（**永久**）

イ 反対または対応の意味を表す字を重ねたもの（**天地**）

ウ 上の字が下の字を修飾しているもの（**予告**）

エ 下の字が上の字の目的語・補語になっているもの（**握手**）

オ 上の字が下の字の意味を打ち消しているもの（**不信**）

次の熟語は右の**ア～オ**のどれにあたるか、**一つ**選び、**記号**を記せ。

1 捕縛（　）
2 疾走（　）
3 潜水（　）
4 甘酸（　）
5 赴任（　）
6 起伏（　）
7 湖畔（　）
8 無言（　）
9 藩校（　）
10 卑下（　）

(五)

1×10　／10

次の漢字の**部首**を**ア～エ**から**一つ**選び、**記号にマーク**せよ。

1 慰（ア 寸　イ 心　ウ 示　エ 尸）
2 架（ア 木　イ 力　ウ 口　エ 十）
3 異（ア 八　イ 二　ウ 田　エ 厂）
4 威（ア 弋　イ 戈　ウ 厂　エ 女）
5 華（ア 艹　イ 廾　ウ 十　エ 一）
6 殴（ア 几　イ 又　ウ 殳　エ 匚）
7 衛（ア 口　イ 彳　ウ 舛　エ 行）
8 衰（ア 口　イ 衣　ウ 亠　エ 一）
9 餓（ア 扌　イ 戈　ウ 飠　エ 丶）
10 哀（ア 衣　イ 口　ウ 亠　エ 人）

(六)

2×10　／20

後の□内のひらがなを漢字に直して□に入れ、**対義語・類義語**を作れ。□内のひらがなは一度だけ使い、**一字記入**せよ。

対義語

1 鎮静－□奮
2 損失－利□
3 恩賞－処□
4 未満－□過
5 創造－模□

類義語

6 陳情－具□
7 即刻－□速
8 廉価－□価
9 不足－欠□
10 敬慕－□敬

あん・えき・こう・さっ・しん・そん
ちょう・ばつ・ほう・ぼう

2×5 /10

(七) 次の——線のカタカナを漢字一字と送りがな(ひらがな)に直せ。

〈例〉 数が**スクナイ**。 少ない

1 冬の**オトズレ**が近い。（　　）

2 海で**メズラシイ**魚を捕まえた。（　　）

3 やっと一矢《し》を**ムクイル**。（　　）

4 勇気を**フルイ**起こす。（　　）

5 友人と新事業を**クワダテル**。（　　）

2×10 /20

(八) 文中の**四字熟語**の——線の**カタカナ**を**漢字**に直せ。（　）内に**二字記入**せよ。

1 **ガデン**引水で説得力に欠ける。（　　）

2 経済状態は**アンウン**低迷している。（　　）

3 思い出の品を**ゴショウ**大事にする。（　　）

4 **オクジョウ**架屋で無意味というものだ。（　　）

5 **キキュウ**存亡の秋《とき》を迎える。（　　）

6 孤城**ラクジツ**で倒産目前だ。（　　）

7 社長は熟慮**ダンコウ**の人だ。（　　）

8 一騎**トウセン**の強豪ぞろいだ。（　　）

9 安心**リツメイ**の境地に至る。（　　）

10 衣冠**ソクタイ**で儀式につらなる。（　　）

2×5 /10

(九) 次の各文にまちがって使われている**同じ読みの漢字**が**一字**ある。（　）内の**上に誤字**を、**下に正しい漢字**を記せ。

1 長年対立関係にあった隣国と平和状約を結ぶのが新内閣の課題である。（　・　）

2 作業の手順を間違え最終工程を終了した時には時計は午前霊時を回っていた。（　・　）

3 遅刻の冗習犯と呼ばれた息子は一念発起して早出に努め周囲を驚かせた。（　・　）

4 手づくり年賀状展で最優秀賞を授賞し副賞として葉書を二百枚もらった。（　・　）

5 気候や地理のよく似た二つの地域で殖生が異なる理由を考察する。（　・　）

(十) 次の――線のカタカナを漢字に直せ。

2×20 　/40

1 提案は**グサク**であると却下された。（　）
2 **キョウハク**した犯人を逮捕する。（　）
3 汚れを**キハツ**油で落とす。（　）
4 両親に**キンキョウ**を報告する。（　）
5 健康のために**ゲンマイ**を食べる。（　）
6 授業で**ビセイブツ**を観察する。（　）
7 母は**カドウ**の家元に生まれた。（　）
8 近所の**キッサ**店で昼食をとる。（　）
9 選挙では**フクシ**政策を重視する。（　）
10 **コフン**の発掘が始まった。（　）
11 植物の生長を**ソクシン**する。（　）
12 **ゼツメツ**寸前動物を保護する。（　）
13 友人と駅前で**ス**れ違った。（　）
14 **ツクエ**の上に書類を広げる。（　）
15 こぶしを**ニギ**って悔しさをこらえる。（　）
16 **エラ**そうな態度をたしなめられる。（　）
17 自らの過ちを**サト**る。（　）
18 裏山で**タキギ**を拾う。（　）
19 サルが**フタゴ**の赤ちゃんを産んだ。（　）
20 逸《はや》る気持ちを**オサ**え道を急ぐ。（　）

3級

第2回★テスト（60分）

◇合計点◇

（200点満点の　　点）

- 140点以上 合格
- 110点以上 合格まであと一歩
- 80点以上 さらに努力を
- 79点以下 受検級を考え直しましょう

1×30 ／30

(一) 次の――線の**漢字の読み**を**ひらがな**で記せ。

1 ここで会うとはまさに奇遇だ。（　　）
2 市販の鎮痛剤を飲んで眠る。（　　）
3 他人の作品を模倣する。（　　）
4 借りてきた推理小説に没頭する。（　　）
5 公務員による職権の濫用を禁じる。（　　）
6 金属を精錬する会社で働く。（　　）
7 現代詩に心酔している。（　　）
8 連勝して首位を奪回する。（　　）
9 先生に学業怠慢を注意された。（　　）
10 人生の哀歓を味わう。（　　）
11 台の上にふろしきを伸べる。（　　）
12 輸入品排斥の動きが起こる。（　　）
13 休日の解放感を満喫する。（　　）
14 一時間勉強したら休憩しよう。（　　）
15 百メートルを全力疾走する。（　　）
16 一週間ホテルに滞在する。（　　）
17 精巧な造りの時計を買った。（　　）
18 海外で同胞と助け合って暮らす。（　　）
19 友人と冗談を言って笑い合う。（　　）
20 会合への出席を要請する。（　　）
21 控えの選手に準備を命じた。（　　）
22 海から湿った風が吹いてくる。（　　）

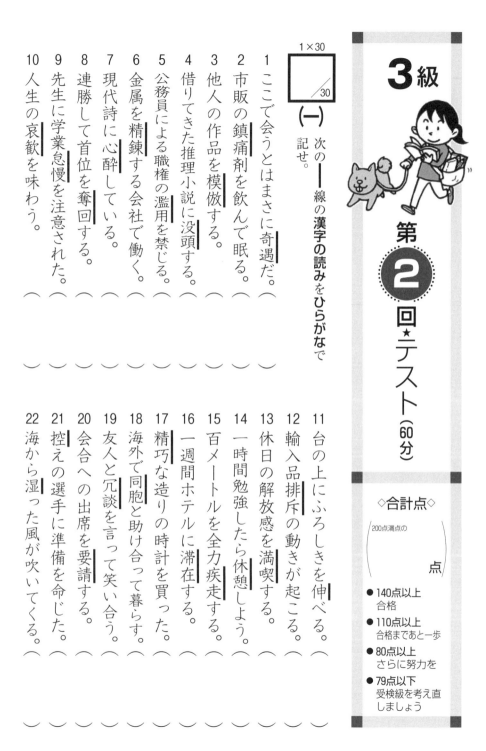

23 花婿も花嫁も母校の先輩だ。（　　）
24 厳寒期には滝も凍る。（　　）
25 どこからか花の香りが漂う。（　　）
26 カップケーキが膨らんだ。（　　）
27 試験に不合格だった友人を慰める。（　　）
28 列車がホームに滑り込む。（　　）
29 家で鶏を飼うことにした。（　　）
30 秋になり紅葉の葉が赤く色づいた。（　　）

2×15
/30

(二)

次の――線の**カタカナ**にあてはまる漢字をそれぞれの**ア～オ**から**一つ**選び、**記号**を記せ。

1 ゼロ歳児を**タク**児所に預けて働く。
2 **タク**上の電話が鳴り続けている。
3 二者**タク**一の問題が五十問出た。
（ア託　イ拓　ウ卓　エ沢　オ択）

4 大**タン**なデザインのドレスを着る。
5 厳しい冬山登山で体を**タン**錬する。
6 見事な大技に**タン**声をもらす。
（ア丹　イ胆　ウ淡　エ鍛　オ嘆）

7 寺のつりがねを改**チュウ**する。
8 会計係を**チュウ**選で決める。
9 **チュウ**米大使として渡米する。
（ア抽　イ宙　ウ注　エ鋳　オ駐）

10 競馬の**キ**手を務める。
11 会社は大**キ**業に成長した。
12 世界の平和を**キ**願する。
（ア祈　イ奇　ウ企　エ幾　オ騎）

13 お土産にクマの**ホ**り物を買う。
14 **ホ**り出し物の家具を見つけた。
15 病院にいっしょに行って**ホ**しい。
（ア掘　イ彫　ウ捕　エ欲　オ保）

2×5 /10

(三)

1～5の三つの□に**共通する漢字**を入れて熟語を作れ。漢字は**ア～コ**から**一つ**選び、**記号**を記せ。

1 □列・□情・開□（　）

2 □国・皇□・□政（　）

3 □死・冷□・□傷（　）

4 □製・□然・□芸（　）

5 □舎・養□・□肉（　）

ア 焼	イ 善	ウ 駅	エ 陳	オ 豚
カ 整	キ 官	ク 帝	ケ 陶	コ 凍

2×10 /20

(四)

熟語の構成のしかたには次のようなものがある。

ア 同じような意味の漢字を重ねたもの　（**永久**）
イ 反対または対応の意味を表す字を重ねたもの　（**天地**）
ウ 上の字が下の字を修飾しているもの　（**予告**）
エ 下の字が上の字の目的語・補語になっているもの　（**握手**）
オ 上の字が下の字の意味を打ち消しているもの　（**不信**）

次の熟語は右の**ア～オ**のどれにあたるか、**一つ**選び、**記号**を記せ。

1 模倣（　）
2 未遂（　）
3 翻意（　）
4 邦楽（　）
5 興亡（　）
6 墳墓（　）
7 虚実（　）
8 陰謀（　）
9 欠乏（　）
10 耐乏（　）

(五) 1×10 /10

次の漢字の**部首**を**ア〜エ**から**一つ**選び、**記号にマーク**せよ。

1 岳（ア 斤　イ 二　ウ 一　エ 山）
2 克（ア 儿　イ 口　ウ 十　エ 一）
3 幹（ア 干　イ 日　ウ 十　エ 人）
4 敢（ア 耳　イ 攵　ウ 工　エ 又）
5 掛（ア 卜　イ 土　ウ 扌　エ 士）
6 革（ア 一　イ 艹　ウ 十　エ 革）
7 概（ア 艮　イ 木　ウ 旡　エ ノ）
8 乾（ア 日　イ 十　ウ 乙　エ し）
9 塊（ア 𡈽　イ ム　ウ 儿　エ 鬼）
10 企（ア 一　イ 卜　ウ 止　エ 人）

(六) 2×10 /20

後の□内のひらがなを漢字に直して□に入れ、**対義語・類義語**を作れ。□内のひらがなは一度だけ使い、**一字記入**せよ。

対義語

1 膨張－□縮
2 無知－博□
3 隆起－□降
4 借用－□与
5 束縛－□放

類義語

6 重態－危□
7 使命－任□
8 脱落－遺□
9 善戦－健□
10 邪魔－□害

かい・しき・しゅう・しょう・たい・ちん
とう・とく・む・ろう

2×5 /10

(七) 次の――線のカタカナを漢字一字と送りがな(ひらがな)に直せ。

〈例〉 数がスクナイ。 少ない

1 冷えた水でのどをウルオス。( )
2 オサナイ命が失われた。( )
3 きょうは顔色がスグレない。( )
4 議員名簿に名をツラネル。( )
5 週末にかけて天気がクズレルようだ。( )

2×10 /20

(八) 文中の四字熟語の――線のカタカナを漢字に直せ。( )内に二字記入せよ。

1 シュチ肉林の宴が続く。( )
2 デンコウ石火の早業だった。( )
3 シソウ堅固の好青年である。( )
4 出会ってすぐイキ投合した。( )
5 社是はシンショウ必罰だ。( )
6 因果オウホウを恐れる。( )
7 政界は権謀ジュッスウの世界だ。( )
8 部下を緩急ジザイに操る。( )
9 気炎バンジョウで威勢がよい。( )
10 酔生ムシの人生を過ごす。( )

2×5 /10

(九) 次の各文にまちがって使われている同じ読みの漢字が一字ある。( )内の上に誤字を、下に正しい漢字を記せ。

1 地元が輩出した偉大な作家の功積をたたえ銅像が故郷の公園に建てられた。(・)

2 会長は独全的な言動によって会員の厳しい批判を浴び任期半ばで辞任した。(・)

3 昔の映画だが主演女優の迫真の演技は五十年を経た現在も観客を実了する。（　・　）

4 有権者が選挙人を選びその選挙人が代表者を選ぶのは間摂選挙である。（　・　）

5 母校を首籍で卒業した先輩は国内初の女性首相として活躍し後世に名を残した。（　・　）

(十)

2×20　／40

次の——線の**カタカナ**を**漢字**に直せ。

1 **フクメン**をした犯人が逮捕された。（　　）

2 **シショウ**の命日に墓参りをする。（　　）

3 伝統を**ジュンシュ**し次代に受け継ぐ。（　　）

4 利根川の**ゲンリュウ**を調べる。（　　）

5 友人の行為を**ベンゴ**する。（　　）

6 様々な溶液の**ギョウコテン**を測定する。（　　）

7 どちらも**コウオツ**つけがたい秀作だ。（　　）

8 最初に顔の**リンカク**から描いた。（　　）

9 虫歯の**チリョウ**のため通院する。（　　）

10 **リョウボ**の発掘を行う。（　　）

11 富士山の山頂は**ノウム**に包まれている。（　　）

12 年末に家の中の**ソウジ**をした。（　　）

13 腐敗の一掃を選挙公約に**カカ**げた。（　　）

14 **キヌ**のブラウスを買う。（　　）

15 背後から**スルド**い視線を感じる。（　　）

16 **オダ**やかな人柄が愛されている。（　　）

17 家族で**スナハマ**を散歩する。（　　）

18 **タテ**を構えて身を防ぐ。（　　）

19 恥ずかしさのあまり顔を**フ**せる。（　　）

20 先祖は**サムライ**だったようだ。（　　）

3級

第3回★テスト（60分）

◇合計点◇

（200点満点の　　点）

- 140点以上 合格
- 110点以上 合格まであと一歩
- 80点以上 さらに努力を
- 79点以下 受検級を考え直しましょう

1×30

（　/30）

(一) 次の——線の**漢字の読み**を**ひらがな**で記せ。

1 失墜した信用を取りもどす。（　）
2 連絡船は定時に出帆した。（　）
3 不正に関して潔癖な人物だ。（　）
4 独裁者が謀略をめぐらす。（　）
5 感情のたかぶりを抑制する。（　）
6 暖炉の火が赤々と燃える。（　）
7 わずか一点差の惜敗だった。（　）
8 彫刻の展覧会を見に行く。（　）
9 お金を粗末にしてはいけない。（　）
10 佳日を選んで式典を挙げる。（　）
11 排他的な考え方を改める。（　）
12 新たな規制緩和が行われる。（　）
13 出版界に新機軸を打ち出す。（　）
14 まばたきもせず凝視する。（　）
15 父と縁側で将棋を指す。（　）
16 二者択一を迫られる。（　）
17 役者が甲高い声でせりふを叫ぶ。（　）
18 一隻の船が沖合に見える。（　）
19 娯楽施設のない町に住む。（　）
20 晩鐘と共に家路につく。（　）
21 今さら慌てても間に合わない。（　）
22 音楽の才能に殊にすぐれている。（　）

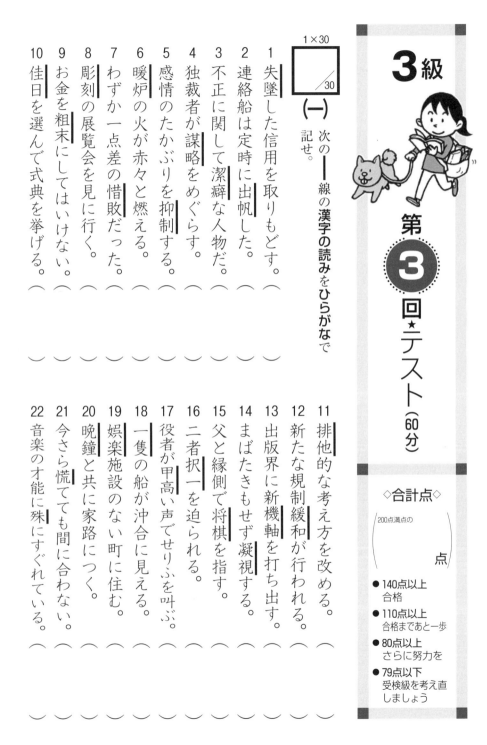

23 気安く仕事を請け負った。（　）
24 雄大な景色に目を奪われた。（　）
25 桜の苗木を庭に植えた。（　）
26 心を落ち着けて墨をする。（　）
27 ろうそくの炎がゆれている。（　）
28 兄の話は何だか怪しい。（　）
29 大きな鯨が水揚げされた。（　）
30 ここは砂利道で歩きにくい。（　）

2×15
/30

(二)

次の――線の**カタカナ**にあてはまる漢字をそれぞれの**ア〜オ**から**一つ**選び、**記号**を記せ。

1 裁判所で被告が**チン**述した。
2 警官隊が市民の暴動を**チン**圧した。
3 カラスミは**チン**味である。
（ア沈　イ陳　ウ鎮　エ賃　オ珍）

4 大失敗し悔**コン**の涙にくれる。
5 商**コン**たくましい人々に圧倒される。
6 紫**コン**の優勝旗が手渡された。
（ア魂　イ困　ウ恨　エ混　オ紺）

7 無事に終わりそっと**ト**息をもらす。
8 北**ト**七星が夜空に輝く。
9 処方された薬を傷口に**ト**布した。
（ア吐　イ斗　ウ塗　エ途　オ渡）

10 冷**トウ**庫にパンを保存する。
11 **トウ**器のかま元を訪ねる。
12 人類は天然**トウ**を根絶した。
（ア陶　イ凍　ウ塔　エ透　オ痘）

13 反対意見が過半数を**シ**めた。
14 風雨が強いので雨戸を**シ**めた。
15 気持ちを引き**シ**めて行こう。
（ア施　イ締　ウ占　エ閉　オ資）

2×5 /10

(三)

1～5の三つの□に**共通する漢字**を入れて熟語を作れ。漢字は**ア～コ**から**一つ**選び、**記号**を記せ。

1 □柱・□布・白□（　）

2 同□・□奏・相□（　）

3 南□・□勇・野□（　）

4 □下・野□・□屈（　）

5 □白・□着・□流（　）

ア 調	イ 門	ウ 帆	エ 卑	オ 漂
カ 極	キ 電	ク 伴	ケ 敬	コ 蛮

2×10 /20

(四)

熟語の構成のしかたには次のようなものがある。

ア 同じような意味の漢字を重ねたもの（**永久**）
イ 反対または対応の意味を表す字を重ねたもの（**天地**）
ウ 上の字が下の字を修飾しているもの（**予告**）
エ 下の字が上の字の目的語・補語になっているもの（**握手**）
オ 上の字が下の字の意味を打ち消しているもの（**不信**）

次の熟語は右の**ア～オ**のどれにあたるか、**一つ**選び、**記号**を記せ。

1 免職（　）
2 点滅（　）
3 動揺（　）
4 未完（　）
5 抑圧（　）
6 密封（　）
7 抱擁（　）
8 抑揚（　）
9 家畜（　）
10 濫伐（　）

1×10

/10

(五)

次の漢字の**部首**をア〜エから**一つ**選び、**記号にマーク**せよ。

1 喫（ア 大　イ 刀　ウ 口　エ 士）
2 義（ア 羊　イ 戈　ウ 王　エ 扌）
3 棄（ア 艹　イ 亠　ウ 厶　エ 木）
4 競（ア 儿　イ 立　ウ 口　エ 尢）
5 菊（ア 米　イ 艹　ウ 八　エ 勹）
6 幾（ア 戈　イ 丶　ウ 幺　エ 一）
7 緊（ア 匚　イ 又　ウ 臣　エ 糸）
8 疑（ア 疋　イ 矢　ウ マ　エ 匕）
9 虚（ア 丷　イ 一　ウ 虍　エ 厂）
10 裂（ア 衣　イ 歹　ウ 刂　エ 列）

2×10

/20

(六)

後の□内のひらがなを漢字に直して□に入れ、**対義語・類義語**を作れ。□内のひらがなは一度だけ使い、**一字記入**せよ。

対義語

1 没後－□前
2 無能－□腕
3 興隆－滅□
4 雄飛－□伏
5 和解－紛□

類義語

6 弁解－□明
7 冷静－沈□
8 憂慮－□配
9 将来－前□
10 専念－没□

し・しゃく・しん・せい・そう・ちゃく・と
とう・びん・ぼう

2×5 /10

(七)

次の――線のカタカナを漢字一字と送りがな(ひらがな)に直せ。

〈例〉 数がスクナイ。 少ない

1 欠員をアルバイトでオギナッた。( )

2 弟がホガラカニ笑う。( )

3 日本は資源にトボシイ。( )

4 郷土愛をハグクム。( )

5 やっと寒さがヤワラグ。( )

2×10 /20

(八)

文中の四字熟語の――線のカタカナを漢字に直せ。( )内に二字記入せよ。

1 難題をイットウ両断に処理する。( )

2 シュッショ進退を迫られる。( )

3 ジュウオウ無尽の大活躍をする。( )

4 セイコウ雨読の毎日をおくる。( )

5 ウイ転変は世の習いである。( )

6 企画は砂上ロウカクに終わった。( )

7 新社長のもとで、組織の新陳タイシャをはかる。( )

8 奇想テンガイな物語だ。( )

9 心頭メッキャクの境地に至る。( )

10 鶏口ギュウゴを指標に世を渡る。( )

2×5 /10

(九)

次の各文にまちがって使われている同じ読みの漢字が一字ある。( )内の上に誤字を、下に正しい漢字を記せ。

1 職場の先輩に対して存大な口をきき係長から厳重注意を受けた。(・)

2 交通事故に会い命拾いをしたものの足を骨折し半年間も包帯が取れずにいる。(・)

3 遺産問題で親続会議が開かれ出席者一同に亡父の遺言書が開示された。（　・　）

4 武器を持って逃走する凶悪犯を警察の掃甲車が列をなして追い詰めた。（　・　）

5 先祖伝来の調理法を固守してお客の信頼を得て商売は発展を続けている。（　・　）

(十)

2×20　／40

次の――線のカタカナを漢字に直せ。

1 **ジョジョ**に気温が上がってきた。（　）

2 **ロウデン**による事故を予防する。（　）

3 **イッカン**して市長の政策を支持する。（　）

4 詐《さ》欺師の**コウミョウ**な話術にだまされる。（　）

5 今日はまるで**ジゴク**のような暑さだ。（　）

6 部下の提案を**キャッカ**する。（　）

7 **セイメイ**判断をしてもらう。（　）

8 **ケッコン**式に出席する。（　）

9 パン屋で食パンを**イッキン**買う。（　）

10 金の**コウミャク**を発見する。（　）

11 **ソッセン**して物事に取り組む。（　）

12 夏休みの間の**コウスイ**量を記録する。（　）

13 お互いの主張には**ヘダ**たりがある。（　）

14 **カイコ**を飼って観察する。（　）

15 学生時代は部活動に**ハゲ**んだ。（　）

16 干していた洗濯《たく》物が**カワ**く。（　）

17 会場は**ハナ**やかな雰《ふん》囲気に包まれていた。（　）

18 困難な任務をやり**ト**げる。（　）

19 **ク**いの残らぬよう全力をつくす。（　）

20 鳥の**ツバサ**をスケッチする。（　）

3級

第4回★テスト（60分）

◇合計点◇

（200点満点の　　点）

- 140点以上　合格
- 110点以上　合格まであと一歩
- 80点以上　さらに努力を
- 79点以下　受検級を考え直しましょう

（一）次の——線の漢字の読みをひらがなで記せ。

1×30　　/30

1 帝国主義に反対する。（　）
2 森林の伐採計画を立てる。（　）
3 ビタミンDが欠乏している。（　）
4 友達の純粋な心を傷つける。（　）
5 動揺を悟られないようにする。（　）
6 不合格通知に落胆する。（　）
7 授業で英語の詩を翻訳する。（　）
8 恵まれた境遇で育つ。（　）
9 授賞の祝宴は盛大だった。（　）
10 波浪注意報が発令された。（　）
11 勘定がどうしても合わない。（　）
12 慈愛深い母に感謝する。（　）
13 悪質な脅迫事件が相次ぐ。（　）
14 戦争で国は焦土と化した。（　）
15 卓越した技能を披《ひ》露する。（　）
16 菊花展に毎年出品している。（　）
17 書類に本籍地を記入する。（　）
18 ボールが弧を描いて飛んだ。（　）
19 思想的な理由で兵役を忌避する。（　）
20 炭坑が次々に閉鎖された。（　）
21 硬い表情をくずさない。（　）
22 お祝いの金封に「寿」と書く。（　）

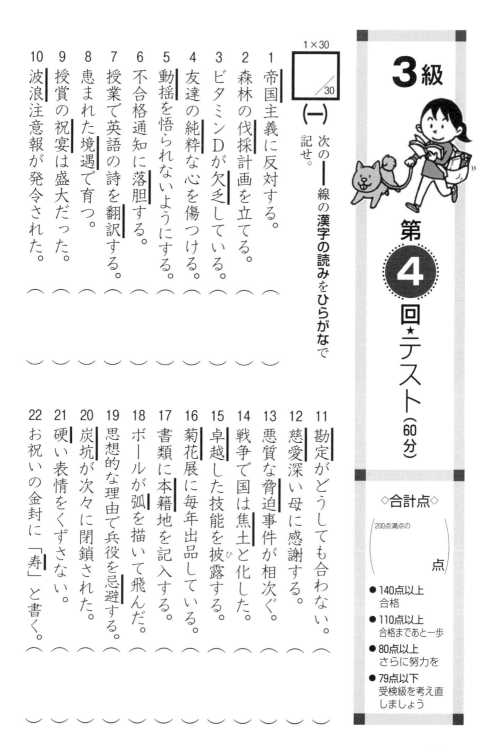

23 本当に惜しい人を失った。（　　）
24 夏合宿でチームを鍛える。（　　）
25 父は単身で任地に赴いた。（　　）
26 タイムカプセルを埋める。（　　）
27 殴り書きのメモを手渡す。（　　）
28 夏の夜に肝試しをする。（　　）
29 この犬はとても賢い。（　　）
30 神社の境内はすがすがしい。（　　）

2×15

／30

(二)

次の――線のカタカナにあてはまる漢字をそれぞれのア～オから一つ選び、記号を記せ。

1 ヨットのハン走技術を教わる。□
2 家族同ハンで留学する。□
3 湖ハンのホテルに一泊した。□
（ア伴　イ畔　ウ搬　エ範　オ帆）

4 亡き母を恋ボする。□
5 辺りはボ色に包まれた。□
6 毎日家計ボをつけている。□
（ア墓　イ暮　ウ簿　エ募　オ慕）

7 犯人の証言が事実とフ合する。□
8 フ段着のまま会議に出席する。□
9 作品の仕上げにフ心する。□
（ア腐　イ浮　ウ符　エ普　オ付）

10 フク面パトカーに追跡された。□
11 起フクに富んだハイキングコースを回る。□
12 不信感を増フクさせる。□
（ア幅　イ伏　ウ覆　エ複　オ副）

13 日常の生活にアき足りない思いだ。□
14 アれ性の手にクリームを塗る。□
15 知事に取材陣が質問をアびせた。□
（ア明　イ飽　ウ浴　エ荒　オ在）

2×5 □/10

（三）

1～5の三つの□に**共通する漢字**を入れて熟語を作れ。漢字は**ア～コ**から**一つ**選び、**記号**を記せ。

1 □争・内□・□失（　）

2 公□・□集・急□（　）

3 異□・□楽・□訳（　）

4 □志・□名・□香（　）

5 □数・□像・配□者（　）

ア 衆　イ 忘　ウ 募　エ 営　オ 邦
カ 競　キ 紛　ク 常　ケ 芳　コ 偶

2×10 □/20

（四）

熟語の構成のしかたには次のようなものがある。

ア 同じような意味の漢字を重ねたもの（**永久**）
イ 反対または対応の意味を表す字を重ねたもの（**天地**）
ウ 上の字が下の字を修飾しているもの（**予告**）
エ 下の字が上の字の目的語・補語になっているもの（**握手**）
オ 上の字が下の字の意味を打ち消しているもの（**不信**）

次の熟語は右の**ア～オ**のどれにあたるか、**一つ**選び、**記号**を記せ。

1 霊魂（　）　2 暖炉（　）　3 非礼（　）

4 敏腕（　）　5 漏電（　）　6 廉価（　）

7 出没（　）　8 経緯（　）　9 完了（　）

10 排他（　）

(五)

1×10

/10

次の漢字の**部首**を**ア〜エ**から**一つ**選び、**記号にマーク**せよ。

1 幻（ア 勹　イ 亅　ウ 糸　エ 幺）

2 雇（ア 隹　イ 戸　ウ 尸　エ 一）

3 兼（ア 一　イ 隶　ウ ハ　エ 八）

4 厳（ア 厂　イ ⺍　ウ 攵　エ 耳）

5 契（ア 刀　イ 王　ウ 大　エ 土）

6 景（ア 亠　イ 口　ウ 日　エ 小）

7 愚（ア 心　イ 冂　ウ 田　エ 厶）

8 潔（ア 糸　イ 氵　ウ 刀　エ 土）

9 携（ア 隹　イ ノ　ウ 扌　エ 刀）

10 顧（ア 尸　イ 戸　ウ 隹　エ 頁）

(六)

2×10

/20

後の□内のひらがなを漢字に直して□に入れ、**対義語・類義語**を作れ。□内のひらがなは一度だけ使い、**一字記入**せよ。

対義語

1 悪魔―天□

2 納入―□収

3 相違―一□

4 分裂―□一

5 栄達―零□

類義語

6 放浪―漂□

7 職務―□務

8 誘導―□内

9 分別―思□

10 了承―納□

あん・し・ち・ちょう・とう・とく・にん
はく・らく・りょ

(七) 2×5 /10

次の――線のカタカナを漢字一字と送りがな(ひらがな)に直せ。

〈例〉 数がスクナイ。 少ない

1 言葉巧みに人をアザムク。（　　）
2 父は工務店をイトナム。（　　）
3 余計な出費をオサエル。（　　）
4 川堤に桜並木がよくハエル。（　　）
5 ヤサシイ問題から始める。（　　）

(八) 2×10 /20

文中の四字熟語の――線のカタカナを漢字に直せ。（　）内に二字記入せよ。

1 コウガン無恥のきらわれ者。（　　）
2 情報をシュシャ選択する。（　　）
3 兄とはイシン伝心の間柄だ。（　　）
4 イフウ堂堂と行進する。（　　）
5 なりふり構わずフコク強兵に励む。（　　）
6 起死カイセイのホームラン。（　　）
7 勇猛カカンに攻撃する。（　　）
8 鯨飲バショクは健康を害する。（　　）
9 将来の計画が雲散ムショウしてしまう。（　　）
10 清廉ケッパクの士が政治家にふさわしい。（　　）

(九) 2×5 /10

次の各文にまちがって使われている同じ読みの漢字が一字ある。（　）内の上に誤字を、下に正しい漢字を記せ。

1 記録的な大雪の翌日屋根にはしごを架けて家族で雪下ろしを行った。（　・　）
2 新年を迎えるに際し百貨店で高級万年筆と二年間使える日記張を買った。（　・　）

3 所持している機能やデザインなどにより商品の価知判断がなされる。（・）

4 新規参入した弁当の拓配事業が殊のほか好調で会社の前途は明るい。（・）

5 九死に一生を得た人の感動的な話は最高調に達し多くの人の涙を誘った。（・）

2×20

/40

(十) 次の――線のカタカナを漢字に直せ。

1 学校で**チョウリョク**検査が行われた。（）

2 来年から母校の**キョウダン**に立つ。（）

3 **ヤバン**な風習をなくす。（）

4 **シュウジン**環視の中での出来事だ。（）

5 友人は**セイジュン**な人だ。（）

6 **ケンドウ**は初段の腕前だ。（）

7 パンは生地を**ハッコウ**させて作る。（）

8 **タクエツ**した演技に感動する。（）

9 美術館で**シンビガン**を養う。（）

10 大地震で多くの人が**ギセイ**になる。（）

11 縁日で**シャテキ**を楽しんだ。（）

12 発表会を明日に控え**キンチョウ**する。（）

13 読書に**ナグサ**めを見いだした。（）

14 隣国の**ヒメギミ**が宮殿を訪れた。（）

15 庭を**ホ**って池を作った。（）

16 **アワ**い色を使った独特な絵を描く。（）

17 今日は空が**クモ**っている。（）

18 友人の**トナリ**の席に座る。（）

19 試験は**コト**のほか難しかった。（）

20 散歩中に小さな**タキ**を見つけた。（）

3級

第5回★テスト（60分）

◇合計点◇

（200点満点の　　点）

● 140点以上
合格
● 110点以上
合格まであと一歩
● 80点以上
さらに努力を
● 79点以下
受検級を考え直しましょう

1×30
/30

(一) 次の――線の漢字の読みをひらがなで記せ。

1 年に一度出版物を改訂する。（　）
2 ピアノの伴奏を務める。（　）
3 故国への慕情がつのる。（　）
4 官吏となって国のために働きたい。（　）
5 首相の外遊に随行する。（　）
6 膨大な国家予算を組む。（　）
7 寺院の回廊を歩く。（　）
8 英語を基礎から学ぶ。（　）
9 夏休みに欧州を旅行する。（　）
10 勇敢な行為をたたえる。（　）
11 兄の乗る捕鯨船が帰港した。（　）
12 常に主君の側に近侍する。（　）
13 破廉恥な行いは絶対しない。（　）
14 孤独な生活を受け入れる。（　）
15 往時を回顧した本を出す。（　）
16 業務を一部外部に委託する。（　）
17 国家権力を掌握する。（　）
18 各政党の綱領を確認する。（　）
19 友人が病魔におかされた。（　）
20 ビタミンCを摂取する。（　）
21 ぞうきんを固く絞る。（　）
22 久しぶりの雨で大地が潤う。（　）

23 即位記念の金貨を鋳る。（　）
24 腕立て伏せを百回やった。（　）
25 卸し価格で安く入手できた。（　）
26 小刀で木の人形を彫る。（　）
27 いずれ又お会いしたい。（　）
28 発掘された冠を展示する。（　）
29 忙しくて昼食を食べ損ねた。（　）
30 幻の原画が発見された。（　）

2×15
／30

（二）

次の――線のカタカナにあてはまる漢字をそれぞれのア～オから一つ選び、記号を記せ。

1 免許証をフン失してさがし回る。□
2 前方後円フンは古代の墓だ。□
3 最後までフン戦したが惜敗した。□
（ア噴　イ紛　ウ奮　エ墳　オ粉）

4 公園に記念ヒが建った。□
5 ヒ見を述べさせてもらう。□
6 ヒ労が少しも回復しない。□
（ア卑　イ被　ウ碑　エ皮　オ疲）

7 在留ホウ人の集いを毎月一回開く。□
8 大雨で裏山のがけがホウ落した。□
9 四月一日から市役所にホウ職する。□
（ア崩　イ邦　ウ奉　エ胞　オ倣）

10 置き石が列車運行をボウ害する。□
11 失職後の耐ボウ生活が一年になる。□
12 冷ボウの温度を高めに設定する。□
（ア乏　イ防　ウ妨　エ某　オ房）

13 フし目がちにこちらを見る。□
14 夜がフけるのも忘れて話し込む。□
15 積もった雪をフみしめて歩く。□
（ア増　イ更　ウ伏　エ吹　オ踏）

三 2×5 /10

1〜5の三つの□に**共通する漢字**を入れて熟語を作れ。漢字は**ア〜コ**から**一つ**選び、**記号**を記せ。

1 □頭・沈□・□入（　）
2 □性・邪□・□神（　）
3 不□・明□・□多（　）
4 御□・□状・□許（　）
5 □堂・神□・湯□（　）

ア 真	イ 快	ウ 殿	エ 裸	オ 免
カ 波	キ 魔	ク 没	ケ 滅	コ 腰

四 2×10 /20

熟語の構成のしかたには次のようなものがある。

ア 同じような意味の漢字を重ねたもの　（**永久**）
イ 反対または対応の意味を表す字を重ねたもの　（**天地**）
ウ 上の字が下の字を修飾しているもの　（**予告**）
エ 下の字が上の字の目的語・補語になっているもの　（**握手**）
オ 上の字が下の字の意味を打ち消しているもの　（**不信**）

次の熟語は右の**ア〜オ**のどれにあたるか、**一つ**選び、**記号**を記せ。

1 怪力（　）
2 平穏（　）
3 翻意（　）
4 邪心（　）
5 甲乙（　）
6 華麗（　）
7 喜悦（　）
8 無欲（　）
9 鐘楼（　）
10 慰霊（　）

(五) 1×10 ／10

次の漢字の**部首**を**ア～エ**から**一つ**選び、**記号にマーク**せよ。

1 巧（ア 勹　イ 一　ウ 土　エ 工）

2 康（ア 隶　イ 亅　ウ 厂　エ 广）

3 興（ア 臼　イ 八　ウ 一　エ 口）

4 甲（ア 丨　イ 王　ウ 田　エ 土）

5 豪（ア 口　イ 豕　ウ 冖　エ 亠）

6 魂（ア 田　イ 厶　ウ 儿　エ 鬼）

7 獄（ア 言　イ 犭　ウ 大　エ 犬）

8 穀（ア 禾　イ 又　ウ 士　エ 殳）

9 墾（ア 犭　イ 艮　ウ 土　エ ⺍）

10 酵（ア 子　イ 酉　ウ ノ　エ 土）

(六) 2×10 ／20

後の□内のひらがなを漢字に直して□に入れ、**対義語・類義語**を作れ。□内のひらがなは一度だけ使い、**一字記入**せよ。

対義語

1 卑属－□属

2 妨害－□力

3 高燥－□湿

4 接近－□脱

5 正統－異□

類義語

6 抜群－□越

7 不安－□揺

8 策略－□謀

9 思案－□慮

10 請願－陳□

いん・きょう・こう・じょう・そん・たく
たん・てい・どう・り

2×5 /10

(七) 次の――線の**カタカナ**を**漢字一字**と**送りがな（ひらがな）**に直せ。

〈例〉 数が**スクナイ**。 少ない

1 大会の開催を**アヤブム**。（　　）

2 花のつぼみが**フクラン**できた。（　　）

3 会長職を**ココロヨク**引き受ける。（　　）

4 洋服の破れを**ツクロウ**。（　　）

5 郵便番号を**タシカメル**。（　　）

2×10 /20

(八) 文中の**四字熟語**の――線の**カタカナ**を**漢字**に直せ。（　）内に**二字記入**せよ。

1 **キョウテン動地**の大事件。（　　）

2 **シュウシ一貫**、反対する。（　　）

3 **シントウ滅却**すれば火もまた涼《すず》し。（　　）

4 **キュウタイ依然**とした体制だ。（　　）

5 **シンシン気鋭**の作家が誕生した。（　　）

6 父は**免許カイデン**の腕前だ。（　　）

7 **疑心アンキ**におちいって眠れない。（　　）

8 事件の**一部シジュウ**を語った。（　　）

9 **自給ジソク**の生活をする。（　　）

10 往事を思えば**感慨ムリョウ**だ。（　　）

2×5 /10

(九) 次の各文にまちがって使われている**同じ読みの漢字**が**一字**ある。（　）内の**上に誤字**を、**下に正しい漢字**を記せ。

1 最近体調不良が続いたため病院で検査を受けたら悩貧血と医師に告げられた。（　・　）

2 汚職事件が関係者の殺人事件へと波級し事件は複雑な様相をみせてきた。（　・　）

3 昨年発生した戦闘機の領空審犯事件が隣国との国交断絶の導火線となった。（　・　）

4 警察は群衆を扇動し混乱を引き起こした人物の輩後関係を洗っている。（　・　）

5 記者会見の席で首相は今秋の衆議院解散について否訂的な考えを示した。（　・　）

2×20

/40

(十) 次の——線のカタカナを漢字に直せ。

1 **カッソウロ**から飛行機が飛び立つ。（　）

2 **シップウ**のように駆け抜けた。（　）

3 家族と温泉地に**タイザイ**している。（　）

4 **トウロン**会に参加する。（　）

5 毎年**コウレイ**の花火大会に出かける。（　）

6 事件の**ガイヨウ**を知りたい。（　）

7 少し疲れたので**キュウケイ**しよう。（　）

8 正誤を**シュンジ**に判断する。（　）

9 **テツガク**者の思想を研究する。（　）

10 ローマ**テイコク**の歴史を学ぶ。（　）

11 **セイダイ**な拍手で出演者を迎えた。（　）

12 リモコンの電池を**コウカン**する。（　）

13 実力者だと**モッパ**らの評判だ。（　）

14 人混みを**ヌ**うようにして進む。（　）

15 徐々に寒さも**ユル**んできた。（　）

16 街の復興に力を**ツ**くす。（　）

17 幼かったころの出来事を**カエリ**みる。（　）

18 家族で**イネカ**りを行う。（　）

19 **ナマリ**は毒性が強く注意を要する。（　）

20 **トボ**しい物資でやり繰りする。（　）

3級

第6回★テスト（60分）

◇合計点◇

（200点満点の　　　点）

- 140点以上 合格
- 110点以上 合格まであと一歩
- 80点以上 さらに努力を
- 79点以下 受検級を考え直しましょう

1×30　　／30

(一) 次の——線の**漢字の読み**を**ひらがな**で記せ。

1 湖畔の宿に家族で泊まる。（　　）
2 屋敷跡から埋蔵金が見つかる。（　　）
3 工場の誘致を計画する。（　　）
4 凶悪犯がついに逮捕された。（　　）
5 平和条約が締結された。（　　）
6 お寺の見事な楼門を仰ぐ。（　　）
7 天気概況を書き留めておく。（　　）
8 出欠を出席簿に記入する。（　　）
9 鍛錬を積んで試合にのぞむ。（　　）
10 どちらとも甲乙つけがたい。（　　）
11 困っている人に手を差し伸べる。（　　）
12 推理小説を濫読する。（　　）
13 毎日の食費を倹約する。（　　）
14 平和のために尊い犠牲を払う。（　　）
15 首相が委員会に諮問する。（　　）
16 私有地への進入を阻止する。（　　）
17 機器の保守契約を結ぶ。（　　）
18 申し入れを快く受諾する。（　　）
19 濃紺の制服が気に入っている。（　　）
20 気温がぐんぐん上昇する。（　　）
21 草むらにへびが潜んでいた。（　　）
22 速度は時速百キロを超えている。（　　）

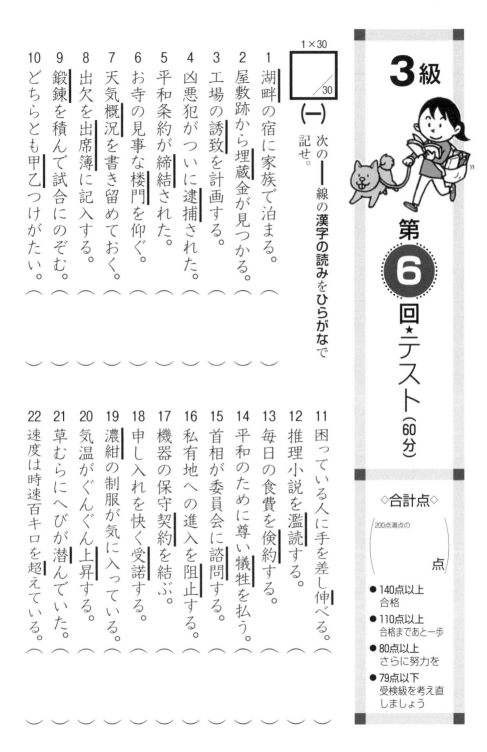

23 空一面を厚い雲が覆っている。（　　）
24 平氏は源氏に滅ぼされた。（　　）
25 穏やかな微笑を浮かべる。（　　）
26 どこまでも初心を貫く。（　　）
27 学生アルバイトを雇う。（　　）
28 眼前に青海原が広がる。（　　）
29 運動会の綱引きに参加する。（　　）
30 著しい差はないようだ。（　　）

2×15

/30

(二)

次の――線のカタカナにあてはまる漢字をそれぞれのア～オから一つ選び、記号を記せ。

1 社長を追い落とす陰ボウをはかる。
2 ロケット開発にボウ大な予算を使う。
3 ボウ頭のあいさつの指名を受ける。
（ア膨　イ冒　ウ謀　エ坊　オ帽）

4 能楽にはユウ玄な趣がある。
5 養老保険に入るよう勧ユウする。
6 ユウ国の志士たちが一堂に会した。
（ア幽　イ雄　ウ誘　エ郵　オ憂）

7 ケン実な社会生活をおくる。
8 それが最もケン明な方法だ。
9 被災地に医師団を派ケンする。
（ア兼　イ賢　ウ堅　エ遣　オ権）

10 祖父はシベリアにヨク留された。
11 会社再建の一ヨクをになう。
12 手帳を開いてヨク日の予定を確認した。
（ア翼　イ抑　ウ翌　エ欲　オ浴）

13 落石事故で村道がウもれた。
14 社屋の改築工事をウけ負う。
15 桃がウれて甘い香りがただよう。
（ア請　イ熟　ウ受　エ埋　オ植）

2×5
/10

(三)

1～5の三つの□に**共通する漢字**を入れて熟語を作れ。漢字は**ア～コ**から**一つ**選び、**記号**を記せ。

1 興□・□起・□盛（　）
2 □師・禁□・密□（　）
3 修□・□成・精□（　）
4 香□・□辺・暖□（　）
5 港□・□入・□曲（　）

ア 軍　イ 隆　ウ 復　エ 料　オ 口
カ 奮　キ 炉　ク 猟　ケ 湾　コ 錬

2×10
/20

(四)

熟語の構成のしかたには次のようなものがある。

ア 同じような意味の漢字を重ねたもの　　（**永久**）
イ 反対または対応の意味を表す字を重ねたもの　　（**天地**）
ウ 上の字が下の字を修飾しているもの　　（**予告**）
エ 下の字が上の字の目的語・補語になっているもの　　（**握手**）
オ 上の字が下の字の意味を打ち消しているもの　　（**不信**）

次の熟語は右の**ア～オ**のどれにあたるか、**一つ**選び、**記号**を記せ。

1 峡谷（　）　2 換言（　）　3 壊滅（　）
4 乾季（　）　5 無類（　）　6 脱藩（　）
7 比較（　）　8 甘味（　）　9 利害（　）
10 緩急（　）

（五）

1×10　／10

次の漢字の**部首**を**ア～エ**から**一つ**選び、**記号にマーク**せよ。

1 削（ア 月　イ 刂　ウ ⺍　エ 冂）
2 争（ア 一　イ 亅　ウ ⺈　エ 力）
3 疾（ア 疒　イ 亠　ウ 大　エ 矢）
4 執（ア 土　イ 丶　ウ 辛　エ 乙）
5 撮（ア 又　イ 曰　ウ 耳　エ 扌）
6 夢（ア 罒　イ 冖　ウ 夕　エ 艹）
7 暫（ア 日　イ 斤　ウ 車　エ 厂）
8 搾（ア 宀　イ 穴　ウ 扌　エ 乍）
9 垂（ア 丨　イ 一　ウ 二　エ 土）
10 慈（ア 幺　イ 玄　ウ ⺌　エ 心）

（六）

2×10　／20

後の□内のひらがなを漢字に直して□に入れ、**対義語・類義語**を作れ。□内のひらがなは一度だけ使い、**一字記入**せよ。

対義語

1 拝啓－敬□
2 悦楽－□哀
3 依存－□立
4 従順－強□
5 一般－□殊

類義語

6 携帯－持□
7 異同－□違
8 改訂－修□
9 概略－大□
10 倹約－質□

ぐ・さん・じょう・せい・そ・そう・とく・どく・ひ・よう

2×5 /10

(七)

次の――線のカタカナを漢字一字と送りがな(ひらがな)に直せ。

〈例〉数がスクナイ。［少ない］

1 ウタガイの目で見られる。( )
2 事態はキワメテ深刻だ。( )
3 仏様に花をソナエル。( )
4 キヨラカナ小川を魚が泳いでいる。( )
5 ペンダントに細工をホドコス。( )

2×10 /20

(八)

文中の四字熟語の――線のカタカナを漢字に直せ。( )内に二字記入せよ。

1 イク同音に反対を唱える。( )
2 エイコ盛衰は世の常である。( )
3 カンコツ奪胎して独自の作品に仕上げる。( )
4 タントウ直入に伝える。( )
5 ジボウ自棄になるなかれ。( )
6 速戦ソッケツでいこう。( )
7 大器バンセイ型の人物のようだ。( )
8 面目ヤクジョたる仕事ぶりを示す。( )
9 神社の故事ライレキを調べる。( )
10 人品コツガラは申し分なし。( )

2×5 /10

(九)

次の各文にまちがって使われている同じ読みの漢字が一字ある。( )内の上に誤字を、下に正しい漢字を記せ。

1 息子の吹き出物はアトピー性皮普炎との見立てで塗り薬を処方された。(・)
2 航空機事故で失った友人は学生時代から薄学多才で将来有望な科学者だった。(・)

3 受刑者は獄中からえん罪を訴え続ける長い闘いの末無罪が伴明した。（　・　）

4 近所の子どもたちを集めて登山に汗を流し否番の休日を有意義に過ごした。（　・　）

5 海岸線を快適に車を走らせ、道路表識に従って左折し目的地に向かった。（　・　）

(十) 次の――線のカタカナを漢字に直せ。

2×20 ／40

1 大男が**ニオウ**立ちになる。（　）

2 試みは九分**クリン**失敗するだろう。（　）

3 前衛的な**チョウコク**が設置された。（　）

4 金属板を**セツゴウ**する。（　）

5 営業**セイセキ**が上がった。（　）

6 **オクソク**でものを言う。（　）

7 駅の北口が**ヘイサ**された。（　）

8 **コウカイ**先に立たず。（　）

9 空き地に**チュウシャ**する。（　）

10 苦手な科目を**コクフク**する。（　）

11 子犬が**ムジャキ**に遊ぶ様子を楽しむ。（　）

12 **ハイキ**ガスの規制が強化された。（　）

13 子供のころの**クセ**が抜けない。（　）

14 作家の**タマシイ**が込められた小説だ。（　）

15 子どもの**オ**い立ちを記録する。（　）

16 **コワダカ**にののしられる。（　）

17 好物は母の**ニモノ**だ。（　）

18 他人を**ウラ**んでばかりではいけない。（　）

19 木を**ケズ**って版画を作った。（　）

20 久しぶりの雨が大地を**ウルオ**した。（　）

3級

第7回★テスト（60分）

◇合計点◇

（200点満点の　　点）

- 140点以上　合格
- 110点以上　合格まであと一歩
- 80点以上　さらに努力を
- 79点以下　受検級を考え直しましょう

1×30　□ /30

(一) 次の――線の**漢字の読み**を**ひらがな**で記せ。

1 幕藩体制の終わる時がきた。（　）
2 この目薬は角膜を保護する。（　）
3 工事は二週間で完了する。（　）
4 ソクラテスは古代の哲学者だ。（　）
5 条件に合う物を抽出する。（　）
6 責任を持って任務を遂行する。（　）
7 花壇を丹念に手入れする。（　）
8 勝敗の行方を双肩にになう。（　）
9 台所の換気扇を作動させる。（　）
10 ばらの芳香がただよう。（　）
11 米の収穫量が増えた。（　）
12 騎馬武者が戦場に向かう。（　）
13 手紙を開封するのが楽しみだ。（　）
14 潤沢な資金を用意する。（　）
15 学校の鶏舎で卵を集める。（　）
16 転んで擦過傷を負った。（　）
17 他人の財産を略奪する。（　）
18 原野を開墾して畑を作る。（　）
19 適切な事後措置を図る。（　）
20 幻想曲をファンタジーともいう。（　）
21 余計な手出しが恨めしい。（　）
22 夜空を焦がすような大火災だ。（　）

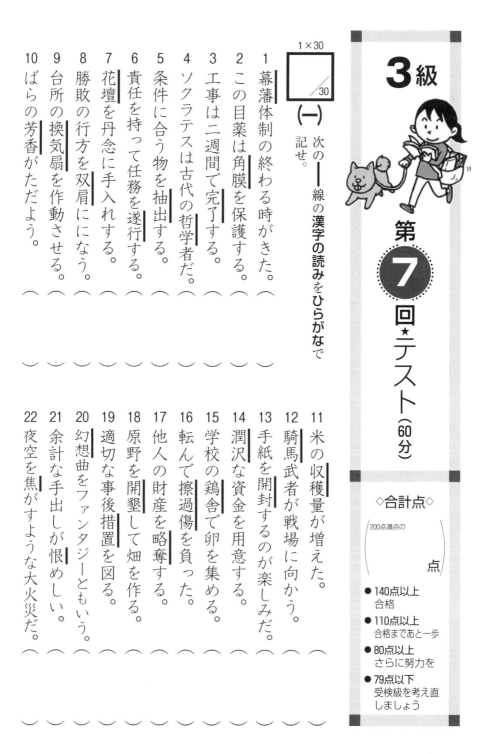

23 失敗をたくみに取り繕う。（　　）
24 クラシック音楽に聴き入る。（　　）
25 人混みに紛れて消えてしまった。（　　）
26 親しい友人を映画に誘う。（　　）
27 川に新しい橋を架ける。（　　）
28 姉は華のある女性だ。（　　）
29 自らの半生を顧みる。（　　）
30 経理部長の職に就く。（　　）

（二）

2×15

/30

次の――線の**カタカナ**にあてはまる漢字をそれぞれの**ア〜オ**から**一つ**選び、**記号**を記せ。

1 父は**カン**臓を悪くしている。
2 野球の三**カン**王を目指す。
3 議員の主張は首尾一**カン**している。
（ア貫　イ官　ウ刊　エ冠　オ肝）

4 冷害が**レイ**細農家に打撃を与えた。
5 食事前の手洗いを**レイ**行する。
6 **レイ**前に花と果実を供える。
（ア零　イ励　ウ齢　エ霊　オ麗）

7 警察官により容疑者が**コウ**束された。
8 組織の**コウ**紀粛正《しゅく》をはかる。
9 喫茶店で小説の草**コウ**を練る。
（ア抗　イ交　ウ拘　エ稿　オ綱）

10 一年**ロウ**人して大学に入学した。
11 学校の**ロウ**下を掃除する。
12 一族**ロウ**党を引き連れる。
（ア郎　イ浪　ウ廊　エ楼　オ朗）

13 入場者に**モ**れ無く記念品を渡す。
14 劣勢を後半戦で**モ**り返して勝った。
15 希望に**モ**えて社会に巣立っていった。
（ア燃　イ盛　ウ守　エ漏　オ持）

2×5

/10

(三)

1～5の三つの□に**共通する漢字**を入れて熟語を作れ。漢字は**ア～コ**から**一つ**選び、**記号**を記せ。

1 □願・悲□・□感（　）

2 満□・□楽・喜□（　）

3 □文・渡□・□風（　）

4 高□・□線・書□（　）

5 □力・□談・奇□（　）

ア 圧　イ 哀　ウ 詩　エ 怪　オ 架
カ 祈　キ 腹　ク 欧　ケ 悦　コ 発

2×10

/20

(四)

熟語の構成のしかたには次のようなものがある。

ア 同じような意味の漢字を重ねたもの（**永久**）
イ 反対または対応の意味を表す字を重ねたもの（**天地**）
ウ 上の字が下の字を修飾しているもの（**予告**）
エ 下の字が上の字の目的語・補語になっているもの（**握手**）
オ 上の字が下の字の意味を打ち消しているもの（**不信**）

次の熟語は右の**ア～オ**のどれにあたるか、**一つ**選び、**記号**を記せ。

1 鎮痛（　）
2 忌避（　）
3 未踏（　）
4 恥辱（　）
5 解雇（　）
6 広狭（　）
7 巨匠（　）
8 奇縁（　）
9 喫煙（　）
10 吉凶（　）

1×10

/10

(五) 次の漢字の**部首**をア～エから**一つ**選び、**記号にマーク**せよ。

		ア	イ	ウ	エ
1	掌	口	冖	⺍	手
2	養	丷	二	良	食
3	催	亻	隹	山	ノ
4	率	十	亠	玄	幺
5	潤	王	氵	門	土
6	寿	十	一	二	寸
7	畳	冖	田	目	一
8	奮	田	隹	大	八
9	衝	行	彳	田	車
10	辱	寸	厂	氏	辰

2×10

/20

(六) 後の□内のひらがなを漢字に直して□に入れ、**対義語・類義語**を作れ。□内のひらがなは一度だけ使い、**一字記入**せよ。

対義語

1 過激―穏□
2 結末―発□
3 公開―□密
4 賢明―□愚
5 攻撃―防□

類義語

6 内幕―□面
7 旅費―□銀
8 悔悟―改□
9 創世―太□
10 我慢―辛□

あん・ぎょ・けん・しょ・しん・たん
ひ・ぼう・り・ろ

2×5 /10

(七)

次の――線のカタカナを**漢字一字と送りがな(ひらがな)**に直せ。

〈例〉 数が**スクナイ**。 少ない

1 木の断面を**ナメラカ**にする。（　　）

2 友人の話を聞いて気持ちが**ユラグ**。（　　）

3 日ごろから神仏を**ウヤマウ**。（　　）

4 古新聞をひもで**ユワエル**。（　　）

5 空港で友人との別れを**オシン**だ。（　　）

2×10 /20

(八)

文中の**四字熟語**の――線の**カタカナ**を**漢字**に直せ。（　）内に**二字記入**せよ。

1 **グンユウ割拠**の戦国時代。（　　）

2 仕事は**ジュンプウ満帆**だ。（　　）

3 両親は**フショウ婦随**で仲が良い。（　　）

4 しばし**チンシ黙考**した。（　　）

5 **センガク非才**の身を恥じる。（　　）

6 事態は**千変バンカ**の様相だ。（　　）

7 先生の**高論タクセツ**に耳を傾ける。（　　）

8 実は**同床イム**の集まりだ。（　　）

9 文字通り**佳人ハクメイ**の一生だった。（　　）

10 **白砂セイショウ**の景色が美しい。（　　）

2×5 /10

(九)

次の各文にまちがって使われている**同じ読みの漢字が一字**ある。（　）内の**上に誤字**を、**下に正しい漢字**を記せ。

1 大規模な紛飾決算が明るみに出て社会的な信用を失い倒産することになった。（　・　）

2 試合開始直後に先取点を取られその後も妨戦一方の展開となった。（　・　）

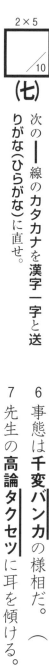

3 非常に厳格なことで有名な教授に名前を呼ばれ促座に「ハイ」と返事をした。（・）

4 小説の結末は犯人がまんまと逃げおおせるもので手離しで喜べなかった。（・）

5 車を縦にならべ止めるのを縦列駐車横にならべ止めるのを平列駐車という。（・）

2×20

/40

(十) 次の――線のカタカナを漢字に直せ。

1 **キフク**に富んだ地形を歩く。（　）

2 **サイボウ**が分裂する様子を観察する。（　）

3 美術品を知人に**ジョウト**する。（　）

4 **ワンナイ**に多数の漁船が見える。（　）

5 事件の**ショウサイ**が初めて報道された。（　）

6 合格の**キッポウ**を受け取った。（　）

7 相手チームの反撃を**ソシ**した。（　）

8 **イッパン**的な意見を述べる。（　）

9 筆記試験を**メンジョ**される。（　）

10 新入部員を**ボシュウ**する。（　）

11 先生に小論文を**テンサク**してもらう。（　）

12 小惑星**タンサキ**の打ち上げが行われた。（　）

13 待ち望んだ子を**サズ**かる。（　）

14 **イタ**んだ果実を捨てる。（　）

15 今日は非常に**ム**し暑い。（　）

16 確かに**ウケタマワ**りました。（　）

17 妹と川の**アササ**せで遊んだ。（　）

18 **カワセ**相場の値動きを調べる。（　）

19 電線を地中に**ウ**める。（　）

20 **ユル**やかな坂を自転車で下る。（　）

3級

第8回★テスト（60分）

◇合計点◇

200点満点の
点

- 140点以上
合格
- 110点以上
合格まであと一歩
- 80点以上
さらに努力を
- 79点以下
受検級を考え直しましょう

1×30
/30

（一） 次の――線の**漢字の読み**を**ひらがな**で記せ。

1 夜空に北斗七星が輝いている。（　　）
2 かつて南蛮貿易で栄えた港だ。（　　）
3 魅力あふれる人と出会う。（　　）
4 猟犬がウサギを追って走る。（　　）
5 講演を聞いて大いに啓発された。（　　）
6 首相が友邦を歴訪する。（　　）
7 食パンを冷凍庫に保存する。（　　）
8 世俗を超越して生きる。（　　）
9 物資を倉庫に隠匿する。（　　）
10 全国展開の計画が軌道に乗る。（　　）
11 滞在先のホテルに向かう。（　　）
12 火事の原因は漏電だった。（　　）
13 繁栄のかげで餓死する人もいる。（　　）
14 思い切って愚見を述べさせてもらう。（　　）
15 暫定政府が樹立された。（　　）
16 天然酵母のパンを買った。（　　）
17 家族皆で祖父の長寿を祝う。（　　）
18 記念写真を撮影する。（　　）
19 平穏な生活を送っている。（　　）
20 お転婆と言われた少女時代だった。（　　）
21 魂のこもったすばらしい作品だ。（　　）
22 教会の鐘が鳴りわたる。（　　）

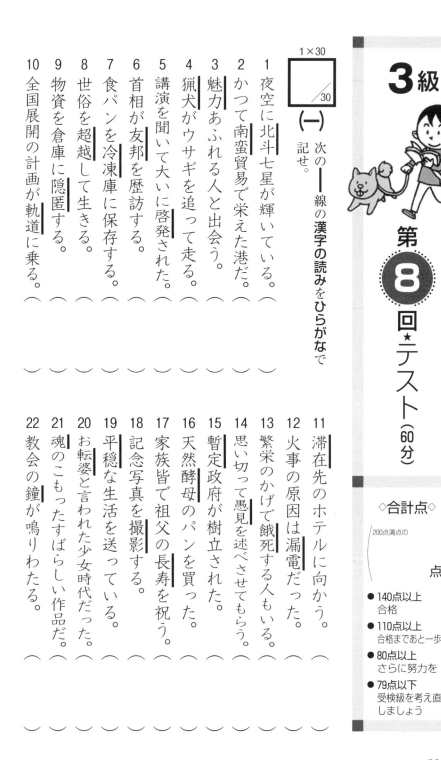

23 合格するための努力を怠らない。（　　）
24 速度違反を取り締まる。（　　）
25 すぐつめをかむ癖がある。（　　）
26 国の将来を憂える。（　　）
27 窓を開けて空気を入れ換える。（　　）
28 要望により規制を緩める。（　　）
29 慌ただしい毎日を過ごす。（　　）
30 五月雨は夏の季語だ。（　　）

(二)

2×15 　／30

次の——線のカタカナにあてはまる漢字をそれぞれのア～オから一つ選び、記号を記せ。

1 真夏のエン天下でテニスをする。［　］
2 エン会で司会役をつとめる。［　］
3 神社のエン日で金魚すくいをする。［　］
（ア援　イ炎　ウ鉛　エ縁　オ宴）

4 国宝に指定された本堂をハイ観する。［　］
5 ハイ気ガスを出さない車を作る。［　］
6 友人の弟は同じ学校の後ハイだ。［　］
（ア杯　イ排　ウ拝　エ輩　オ俳）

7 カイ獣映画を見に行った。［　］
8 学生時代の不勉強を後カイする。［　］
9 物理の問題はカイ目わからない。［　］
（ア介　イ怪　ウ壊　エ悔　オ皆）

10 新進気エイの音楽家として評判だ。［　］
11 印エイが不鮮明で書類を返却された。［　］
12 見事なピアノ演奏にエイ嘆する。［　］
（ア影　イ詠　ウ衛　エ営　オ鋭）

13 電卓を使ってカけ算をする。［　］
14 カい犬が通行人にほえて困る。［　］
15 礼儀をカいた態度に腹を立てる。［　］
（ア飼　イ掛　ウ架　エ欠　オ狩）

2×5
/10

(三)

1〜5の三つの□に**共通する漢字**を入れて熟語を作れ。漢字は**ア〜コ**から**一つ**選び、**記号**を記せ。

1 □根・土□・金□（　）

2 □要・大□・気□（　）

3 □世・遠□・□離（　）

4 □空・円□・□降（　）

5 □事・自□・雑□（　）

ア 航　イ 必　ウ 滑　エ 炊　オ 精
カ 塊　キ 歓　ク 絶　ケ 概　コ 隔

2×10
/20

(四)

熟語の構成のしかたには次のようなものがある。

ア 同じような意味の漢字を重ねたもの（**永久**）
イ 反対または対応の意味を表す字を重ねたもの（**天地**）
ウ 上の字が下の字を修飾しているもの（**予告**）
エ 下の字が上の字の目的語・補語になっているもの（**握手**）
オ 上の字が下の字の意味を打ち消しているもの（**不信**）

次の熟語は右の**ア〜オ**のどれにあたるか、**一つ**選び、**記号**を記せ。

1 怪力（　）
2 遭遇（　）
3 捕鯨（　）
4 無粋（　）
5 偶数（　）
6 賢愚（　）
7 娯楽（　）
8 迎春（　）
9 誇示（　）
10 栄枯（　）

(五) 次の漢字の**部首**を**ア〜エ**から**一つ**選び、**記号にマーク**せよ。

1×10 /10

1 審（ア 宀　イ 田　ウ 禾　エ 米）
2 扇（ア 冫　イ 羽　ウ 尸　エ 戸）
3 承（ア 亅　イ 手　ウ 羊　エ 子）
4 辛（ア 立　イ 十　ウ 二　エ 辛）
5 最（ア 耳　イ 又　ウ 曰　エ 一）
6 婿（ア 月　イ 女　ウ 疋　エ マ）
7 就（ア 尢　イ 小　ウ 口　エ 亠）
8 籍（ア ⺮　イ 日　ウ 耒　エ 音）
9 髄（ア 辶　イ 月　ウ 骨　エ 冖）
10 衰（ア 一　イ 口　ウ 亠　エ 衣）

(六) 後の□内のひらがなを漢字に直して□に入れ、**対義語・類義語**を作れ。□内のひらがなは一度だけ使い、**一字記入**せよ。

2×10 /20

対義語

1 遺棄－拾□
2 修繕－□損
3 保守－□新
4 辞退－□諾
5 恒星－□星

類義語

6 失望－□胆
7 概略－粗□
8 幼稚－未□
9 不満－文□
10 心服－□敬

かく・く・じゅく・しょう・すじ・そん・とく・は・らく・わく

2×5 /10

(七)

次の——線のカタカナを漢字一字と送りがな(ひらがな)に直せ。

〈例〉 数がスクナイ。 少ない

1 たとえ失敗してもカマワない。( )
2 頼みをココロヨク引き受ける。( )
3 晴れて社長のいすにスワル。( )
4 陰に隠れて友達をオドカス。( )
5 契約書を取りカワス。( )

2×10 /20

(八)

文中の四字熟語の——線のカタカナを漢字に直せ。( )内に二字記入せよ。

1 シンキ一転、再出発だ。( )
2 イキ衝天の勢いで連破する。( )
3 リンキ応変に対処する。( )
4 難問題をエンテン滑脱にさばく。( )
5 レイカン三斗の思いをする。( )
6 明鏡シスイの境地に達する。( )
7 歯の浮くような美辞レイクを並べる。( )
8 滅私ホウコウの精神で働く。( )
9 指示が朝令ボカイで困惑する。( )
10 財政投資の波及コウカがみられた。( )

2×5 /10

(九)

次の各文にまちがって使われている同じ読みの漢字が一字ある。( )内の上に誤字を、下に正しい漢字を記せ。

1 理科の授業でとても濃い塩の水様液を使って塩の結晶を作る実験を行った。(・)
2 危機にある会社の再建に努力してきたが現状は厳しく余断は許されない。(・)

3 漢字検定で万点を目指して準備してきたが難しく合格点がやっとだった。（　・　）

4 少年時代からの長年の夢がかないロケットの改発を行う会社に入社できた。（　・　）

5 駅前が十年以上掛けて整備され複合施設が出来て町の免目を一新した。（　・　）

2×20　　/40

(十) 次の――線の**カタカナ**を**漢字**に直せ。

1 体育館で**タッキュウ**の大会が行われた。（　）

2 国民の間に**ドウヨウ**が広がる。（　）

3 模型の製作に**ボットウ**する。（　）

4 海岸を**シサツ**して回る。（　）

5 上達するには**キソ**を固めることが大切だ。（　）

6 **センタク**式の問題は苦手だ。（　）

7 遅刻した理由を**シャクメイ**する。（　）

8 神社で合格を**キガン**する。（　）

9 相続を**ホウキ**する手続きを行う。（　）

10 **サンセキ**の船が沖に出ている。（　）

11 生まれた時から**キョジャク**体質だった。（　）

12 助言を取り入れ**カクダン**に改善された。（　）

13 **ワザワ**いを転じて福となすという。（　）

14 「**ウジ**より育ち」という。（　）

15 友人に関するうわさを**マタギ**きした。（　）

16 **クワバタケ**だった土地を宅地にした。（　）

17 地元の人に会場までの道を**タズ**ねた。（　）

18 夜中に**サワ**いでしかられる。（　）

19 犯人は財布を**ウバ**って走り去った。（　）

20 妹は**カンダカ**い声で笑う。（　）

3級

第9回★テスト（60分）

◇合計点◇

（200点満点の　　　点）

- 140点以上　合格
- 110点以上　合格まであと一歩
- 80点以上　さらに努力を
- 79点以下　受検級を考え直しましょう

1×30　／30

（一）次の——線の**漢字の読み**を**ひらがな**で記せ。

1 家の外壁に塗料をぬる。（　　）
2 卑劣な手段で敵を倒す。（　　）
3 もう選択の余地は無い。（　　）
4 大切な書類を紛失した。（　　）
5 台風で稲が全滅してしまった。（　　）
6 なだらかな丘陵が続く。（　　）
7 検査のため骨髄液を採取する。（　　）
8 さけの稚魚を放流する。（　　）
9 その一言で不安が一掃された。（　　）
10 架空の人物を主人公にする。（　　）
11 古代住居の礎石が発見された。（　　）
12 健康管理への注意を喚起する。（　　）
13 簿記の資格を取得した。（　　）
14 両者の意見が衝突する。（　　）
15 期待と不安が交錯する。（　　）
16 オリンピックは四年ごとに開催される。（　　）
17 亡父の忌日が巡ってきた。（　　）
18 痛恨のエラーで試合に負けた。（　　）
19 教壇に立つことが夢だった。（　　）
20 精魂をこめて作品を仕上げた。（　　）
21 バスで高齢者に席を譲る。（　　）
22 双子の赤ちゃんが産まれた。（　　）

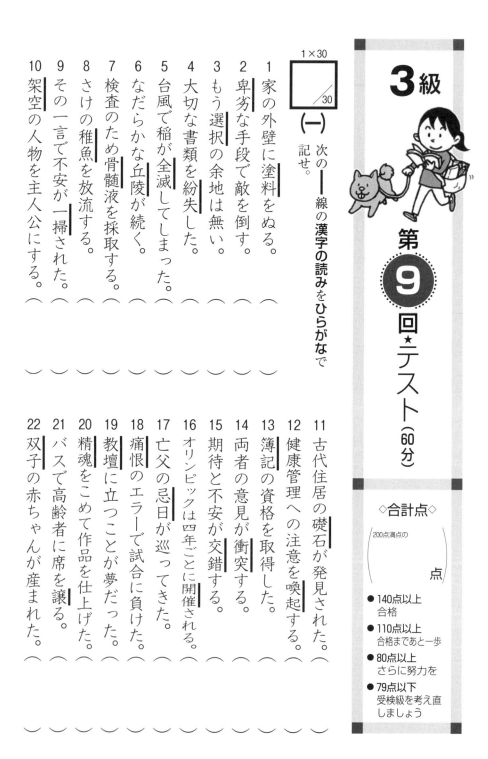

23 クイズ番組の出演者を募る。（　　）
24 国旗を掲げて入場行進する。（　　）
25 姉の嫁ぐ日が近い。（　　）
26 良からぬ企てに加わる。（　　）
27 自らの首を絞める結果になった。（　　）
28 友人と手を携えて活動する。（　　）
29 英語の発音が滑らかだ。（　　）
30 為替相場が変動する。（　　）

2×15

/30

(二) 次の——線の**カタカナ**にあてはまる漢字をそれぞれの**ア～オ**から**一つ**選び、**記号**を記せ。

1 友人は感**ガイ**深げな顔をしていた。
2 美の**ガイ**念とは何ぞや。
3 二十歳以下の**ガイ**当者は挙手せよ。
（ア該　イ概　ウ慨　エ害　オ街）

4 外**カク**団体の所長になる。
5 伝染病かん者を**カク**離する。
6 手作業でぶどうを収**カク**する。
（ア郭　イ隔　ウ獲　エ較　オ穫）

7 電車が高**カ**線を通過中だ。
8 書道展で初めて**カ**作に入選した。
9 日本料理より中**カ**料理が好きだ。
（ア佳　イ菓　ウ架　エ暇　オ華）

10 リモコンの電池を交**カン**する。
11 戦場で勇**カン**に敵と戦う。
12 **カン**慢な動作で作業する。
（ア貫　イ緩　ウ敢　エ換　オ勧）

13 ようやく都会の生活に**ナ**れる。
14 鳥の**ナ**く声で目が覚める。
15 悲しい映画を観て**ナ**く。
（ア成　イ菜　ウ泣　エ慣　オ鳴）

2×5
/10

(三)

1〜5の三つの□に**共通する漢字**を入れて熟語を作れ。漢字は**ア〜コ**から**一つ**選び、**記号**を記せ。

1 □気・□実・□物（　）

2 □数・□先・一□（　）

3 神□・□由・□典（　）

4 □油・□尺・□飲（　）

5 □跡・白□・□絵（　）

ア 度	イ 様	ウ 鯨	エ 堅	オ 墨
カ 忠	キ 灯	ク 経	ケ 供	コ 軒

2×10
/20

(四)

熟語の構成のしかたには次のようなものがある。

ア 同じような意味の漢字を重ねたもの　（**永久**）
イ 反対または対応の意味を表す字を重ねたもの　（**天地**）
ウ 上の字が下の字を修飾しているもの　（**予告**）
エ 下の字が上の字の目的語・補語になっているもの　（**握手**）
オ 上の字が下の字の意味を打ち消しているもの　（**不信**）

次の熟語は右の**ア〜オ**のどれにあたるか、**一つ**選び、**記号**を記せ。

1 脱獄（　）
2 攻守（　）
3 慈母（　）
4 凍土（　）
5 陳述（　）
6 無為（　）
7 是非（　）
8 紅茶（　）
9 超越（　）
10 絞首（　）

(五)

1×10

/10

次の漢字の**部首**を**ア～エ**から**一つ**選び、**記号にマーク**せよ。

		ア	イ	ウ	エ
1	礎	木	石	疋	口
2	葬	廾	歹	匕	艹
3	怠	心	ム	口	丶
4	逮	氺	亅	一	辶
5	袋	亻	弋	戈	衣
6	募	艹	力	日	大
7	賊	戈	弋	貝	丶
8	慨	忄	艮	旡	ノ
9	成	丶	厂	戈	弋
10	盾	十	目	厂	ノ

(六)

2×10

/20

後の□内のひらがなを漢字に直して□に入れ、**対義語・類義語**を作れ。□内のひらがなは一度だけ使い、**一字記入**せよ。

対義語

1 冗漫－簡□

2 穏健－過□

3 鋭敏－□重

4 炎暑－□寒

5 遠隔－近□

類義語

6 覚悟－決□

7 経緯－事□

8 摂取－□収

9 意趣－□恨

10 意匠－趣□

い・きゅう・げき・けつ・げん・こう
じょう・しん・せつ・どん

2×5 /10

(七) 次の――線のカタカナを漢字一字と送りがな(ひらがな)に直せ。

〈例〉 数がスクナイ。 少ない

1 七月に四国をフタタビ訪れる。（　　）
2 災害に遭った人をナグサメル。（　　）
3 絶好のチャンスをウシナウ。（　　）
4 キタナイ部屋を片付ける。（　　）
5 学問の道をココロザス。（　　）

2×10 /20

(八) 文中の四字熟語の――線のカタカナを漢字に直せ。（　）内に二字記入せよ。

1 アクジ千里を走るという。（　　）
2 夫はオンコウ篤実な人柄だ。（　　）
3 イチイ専心勉学に励む。（　　）
4 ガンコウ紙背に徹《てっ》す。（　　）
5 キショウ転結のない文章だ。（　　）
6 家出するとは言語ドウダンだ。（　　）
7 空前ゼツゴの大記録だ。（　　）
8 五里ムチュウの現状から抜け出す。（　　）
9 事実ムコンの報道に抗議する。（　　）
10 九牛イチモウのミスも許されない。（　　）

2×5 /10

(九) 次の各文にまちがって使われている同じ読みの漢字が一字ある。（　）内の上に誤字を、下に正しい漢字を記せ。

1 赤坂にある小糧理屋で政治家たちの会合があった。（　・　）
2 夏休みに友達や父母たちと湖伴でキャンプする計画がありとても楽しみだ。（　・　）

3 採用試験に合格し経歴書と住民票を提出するように総務課から連絡があった。（　・　）

4 日曜日は教会に行って賛美歌を歌い令拝すると気持ちが落ち着き元気になる。（　・　）

5 祖父は八十歳を過ぎているが登山が趣味で労骨にむち打って訓練している。（　・　）

2×20

□ /40

(十) 次の――線の**カタカナ**を**漢字**に直せ。

1 **シャショウ**による案内放送が行われた。（　）

2 銀行からの融《ゆう》資の**シンサ**に通った。（　）

3 かかった費用を**セイキュウ**する。（　）

4 地震により山体**ホウカイ**が起こった。（　）

5 容疑者はいまだに**トウソウ**中だ。（　）

6 ジェット機が**ツイラク**する映像を見た。（　）

7 **トウゲイ**の展覧会に出かける。（　）

8 授業の**イッカン**として工場を見学する。（　）

9 一時間**キュウケイ**をとる。（　）

10 **コクサイ**の価格が下がっている。（　）

11 **ネンド**を使って食器を作る。（　）

12 **センド**のよさそうな魚を買った。（　）

13 桜のつぼみが**フク**らんできた。（　）

14 親しげにあいさつを**カ**わす。（　）

15 **ア**げ物を中心とした食生活を改める。（　）

16 陰で人を**アヤツ**る。（　）

17 コップの縁から**シズク**が垂れた。（　）

18 **オサナ**い子供と公園で遊ぶ。（　）

19 自転車が**ヌス**まれる。（　）

20 **カラ**くも試合に勝利した。（　）

3級

第10回★テスト（60分）

◇合計点◇

200点満点の　　点

- 140点以上 合格
- 110点以上 合格まであと一歩
- 80点以上 さらに努力を
- 79点以下 受検級を考え直しましょう

1×30　　／30

(一) 次の――線の**漢字の読み**を**ひらがな**で記せ。

1 陶芸教室に毎週通っている。（　　）
2 郷土の詩人の石碑が建った。（　　）
3 古墳の発掘調査が行われた。（　　）
4 自動車の運転免許を取得した。（　　）
5 古今無双の勇士の登場だ。（　　）
6 食糧事情が悪化する。（　　）
7 委員会への出席を要請する。（　　）
8 大気中の窒素化合物を減らす。（　　）
9 潜在意識が行動に影響する。（　　）
10 「地獄に仏」とことわざに言う。（　　）
11 パソコン内のファイルを削除する。（　　）
12 法の下の平等を信奉している。（　　）
13 常軌をいっした行動をする。（　　）
14 親類の葬儀に参列した。（　　）
15 世界情勢を概観する。（　　）
16 踊りの師匠に弟子入りをする。（　　）
17 偶然旧友と出会った。（　　）
18 友人は邪悪な心の持ち主だ。（　　）
19 繁華街に買い物に行く。（　　）
20 今年の吉凶を占う。（　　）
21 弟の背丈がだいぶ伸びた。（　　）
22 蚕は新鮮な桑の葉が好きだ。（　　）

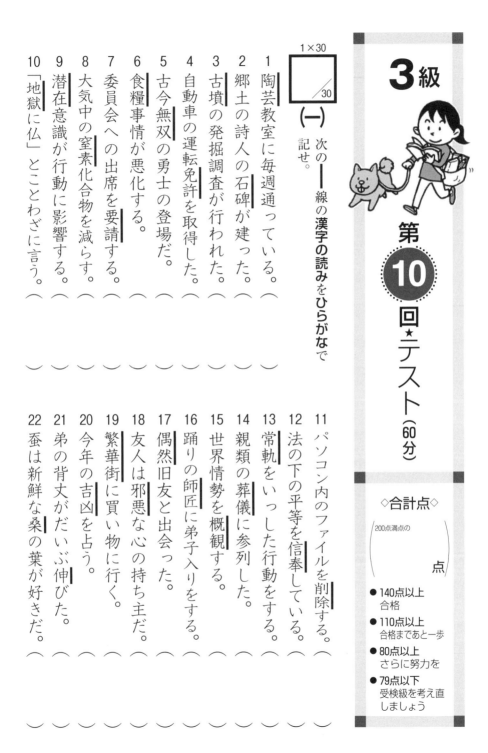

23 凍えた手に息を吹きかける。（　　）
24 地震で山が崩れた。（　　）
25 風で木の葉が揺れている。（　　）
26 忙しい中、時間を割いて人と会う。（　　）
27 既に問題は解決した。（　　）
28 だいぶ寒さが緩んできた。（　　）
29 悲しみの涙で目が潤む。（　　）
30 やさしい面立ちの女の子だ。（　　）

2×15　／30

（二） 次の――線の**カタカナ**にあてはまる漢字をそれぞれの**ア～オ**から**一つ**選び、**記号**を記せ。

1 牧場で**キ**乗訓練を行う。
2 父の**キ**日がもうすぐ来る。
3 最高裁は上告を**キ**却した。
（ア騎　イ忌　ウ鬼　エ棄　オ幾）

4 高校でも**スイ**奏楽部に入部した。
5 一人暮らし用に小さな**スイ**飯器を買う。
6 心**スイ**している作家の小説を読む。
（ア酔　イ遂　ウ炊　エ衰　オ吹）

7 フェリーが海**キョウ**を渡る。
8 地球温暖化は自然界への**キョウ**威だ。
9 意外なほど反**キョウ**を呼ぶ。
（ア峡　イ脅　ウ狭　エ響　オ驚）

10 食パンを一**キン**買う。
11 **キン**急の用で帰宅した。
12 弟は**キン**勉な人物との評判だ。
（ア斤　イ均　ウ緊　エ近　オ勤）

13 知識を頭に**ツ**め込んで試験に備える。
14 四月から新しい職に**ツ**く。
15 話の種が**ツ**きる。
（ア積　イ詰　ウ尽　エ就　オ着）

2×5
/10

(三) 1〜5の三つの□に**共通する漢字**を入れて熟語を作れ。漢字は**ア〜コ**から**一つ**選び、**記号**を記せ。

1 命□・□紀・横□（　）
2 装□・□虫・□板（　）
3 □金・□身・□河（　）
4 今□・□変・□衣（　）
5 商□・霊□・面□（　）

ア 接　イ 黄　ウ 唐　エ 宝　オ 甲
カ 綱　キ 看　ク 令　ケ 魂　コ 更

2×10
/20

(四) **熟語の構成**のしかたには次のようなものがある。

ア 同じような意味の漢字を重ねたもの（**永久**）
イ 反対または対応の意味を表す字を重ねたもの（**天地**）
ウ 上の字が下の字を修飾しているもの（**予告**）
エ 下の字が上の字の目的語・補語になっているもの（**握手**）
オ 上の字が下の字の意味を打ち消しているもの（**不信**）

次の熟語は右の**ア〜オ**のどれにあたるか、**一つ**選び、**記号**を記せ。

1 催眠（　）
2 孤独（　）
3 搾乳（　）
4 未納（　）
5 乾湿（　）
6 花壇（　）
7 雌雄（　）
8 邪念（　）
9 倹約（　）
10 主旨（　）

(五)

1×10

/10

次の漢字の部首をア〜エから一つ選び、記号にマークせよ。

1 卓（ア ｜　イ 一　ウ 日　エ 十）

2 奪（ア 大　イ 隹　ウ 寸　エ 、）

3 鋳（ア 寸　イ 一　ウ 二　エ 金）

4 窒（ア 土　イ 厶　ウ 宀　エ 穴）

5 畜（ア 幺　イ 田　ウ 亠　エ 玄）

6 腕（ア 宀　イ 月　ウ 夕　エ 㔾）

7 彫（ア 口　イ 冂　ウ 彡　エ 土）

8 超（ア 走　イ 人　ウ 刀　エ 口）

9 壇（ア 亠　イ 日　ウ 土　エ 囗）

10 驚（ア 艹　イ 馬　ウ 攵　エ 口）

(六)

2×10

/20

後の□内のひらがなを漢字に直して□に入れ、対義語・類義語を作れ。□内のひらがなは一度だけ使い、一字記入せよ。

対義語

1 温暖―□冷

2 精巧―粗□

3 架空―□在

4 緩慢―□速

5 求刑―判□

類義語

6 有数―屈□

7 免職―□雇

8 折衝―□判

9 失望―□胆

10 殊勝―神□

かい・かん・けつ・ざつ・し・じつ・だん・びん・みょう・らく

(七)

2×5　/10

次の――線のカタカナを漢字一字と送りがな(ひらがな)に直せ。

〈例〉数がスクナイ。　少ない

1 息子はスコヤカニ育った。（　　）
2 今ハジメテ知った。（　　）
3 大役をウケタマワル。（　　）
4 東西をヘダテル壁。（　　）
5 魚をアキナッて生計をたてる。（　　）

(八)

2×10　/20

文中の四字熟語の――線のカタカナを漢字に直せ。（　）内に二字記入せよ。

1 イチヨウ来復を待とう。（　　）
2 社長の言葉をキンカ玉条とする。（　　）
3 シタサキ三寸で丸め込む。（　　）
4 スンテツ殺人の批評を浴びた。（　　）
5 オンコ知新の精神で学ぶ。（　　）
6 社内に下意ジョウタツが浸透する。（　　）
7 冠婚ソウサイで多忙の日々だ。（　　）
8 双方の主張は大同ショウイだ。（　　）
9 悪ロゾウゴンを並べたてる。（　　）
10 危機イッパツで難を逃れた。（　　）

(九)

2×5　/10

次の各文にまちがって使われている同じ読みの漢字が一字ある。（　）内の上に誤字を、下に正しい漢字を記せ。

1 次の日曜日には近所にある運動場で社長位下全社員参加の体育祭が行われる。（　・　）

2 大事故に巻き込まれ重傷を負ったが適接な治療で奇跡的に命をとりとめた。（　・　）

3 駅前の交番のお巡りさんは盗難・落とし物の届け出などの応待で忙しい。（　・　）

4 二月だというのに四月中準並みの気候で気象庁によると暖冬異変だそうだ。（　・　）

5 追いつ追われつの白熱した試合は九回で決着がつかず援長戦に持ち込まれた。（　・　）

(十) 次の——線のカタカナを漢字に直せ。

2×20

/40

1 早朝の気温は**レイカ**五度だった。（　）

2 自著が外国語に**ホンヤク**された。（　）

3 先代の王は**ケンクン**として知られている。（　）

4 お互いの信頼が**ケツジョ**していた。（　）

5 有名な女優が**ブタイ**に登場した。（　）

6 特待生は学費が**メンジョ**される。（　）

7 発展途上国に**シエン**物資を送る。（　）

8 夢は競馬の**キシュ**になることだ。（　）

9 映画はいよいよ**カキョウ**に入った。（　）

10 **コセキ**謄《とう》本を取り寄せる。（　）

11 **ビョウマ**におかされ余命幾ばくもない。（　）

12 細胞を**ゾウショク**させる実験に携わる。（　）

13 **イチジル**しい進歩をとげる。（　）

14 災害に対する備えを**オコタ**らない。（　）

15 健康診《しん》断の前日は食事を**ヒカ**える。（　）

16 富士山の**イタダキ**に立つ。（　）

17 白い**スナハマ**と青い海が美しい。（　）

18 目を**オオ**うような惨状が広がっていた。（　）

19 **クサリ**を手掛かりにがけを登る。（　）

20 ガラスの取り**アツカ**いに注意する。（　）

3級

第11回★テスト（60分）

◇合計点◇

200点満点の

（　　　点）

- 140点以上　合格
- 110点以上　合格まであと一歩
- 80点以上　さらに努力を
- 79点以下　受検級を考え直しましょう

1×30　／30

(一) 次の――線の**漢字の読み**を**ひらがな**で記せ。

1 天然痘は伝染病のひとつだ。（　　）
2 植物の葉にある気孔を観察する。（　　）
3 ローマ帝国崩壊の原因を探る。（　　）
4 秘密の場所に幽閉される。（　　）
5 成功は九分九厘間違いない。（　　）
6 隻影も無い寂しい風景だ。（　　）
7 食卓に花を飾る。（　　）
8 愛憎を越えた関係を結ぶ。（　　）
9 他国の紛争に巻き込まれる。（　　）
10 奇怪な出来事が次々に起こる。（　　）
11 日没時間がだいぶ早くなった。（　　）
12 福祉行政に力を入れる。（　　）
13 該当者は名乗り出てほしい。（　　）
14 犬の家畜としての歴史は長い。（　　）
15 刑罰が厳しさを増してきた。（　　）
16 緊急事態が発生した。（　　）
17 力を合わせ困難を克服する。（　　）
18 名家の令嬢として育てられた。（　　）
19 浅薄な考え方を反省する。（　　）
20 雪の結晶が美しい。（　　）
21 菜種から油を搾り取る。（　　）
22 辛い味付けが好みに合う。（　　）

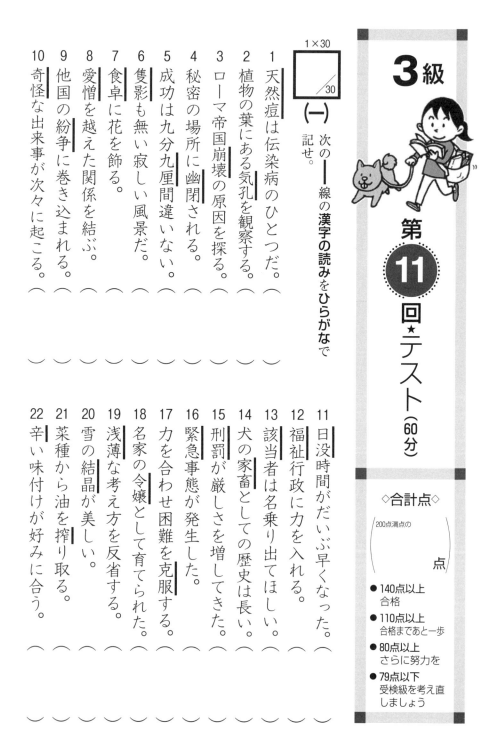

23 通学路で交通事故に遭う。（　　）
24 「三匹の子豚」の紙芝居を作った。（　　）
25 自制心を鍛え欲望を抑える。（　　）
26 軽率な発言を悔いる。（　　）
27 海中に潜って貝を採る。（　　）
28 親しかった友に欺かれた。（　　）
29 庭にある桃の実が熟れる。（　　）
30 亡き母を今も慕う。（　　）

(二)

2×15 □ /30

次の――線のカタカナにあてはまる漢字をそれぞれのア～オから一つ選び、記号を記せ。

1 ゲン関のタイルをブラシで掃除する。□
2 魔術師の術にゲン惑される。□
3 ゲン格な父親に育てられた。□
（ア幻　イ厳　ウ源　エ玄　オ限）

4 合格者の番号をケイ示する。□
5 途中で五分間の小ケイを取る。□
6 この軽さならケイ行できる。□
（ア憩　イ携　ウ計　エ係　オ掲）

7 心の動ヨウをかくす。□
8 国威を発ヨウする。□
9 不利な立場の友をヨウ護する。□
（ア溶　イ揚　ウ揺　エ擁　オ要）

10 両親が死んでコ児になった。□
11 打球はコを描いて飛んだ。□
12 コ淡の境地に達する。□
（ア個　イ枯　ウ孤　エ古　オ弧）

13 注射をウたれて赤ん坊が泣く。□
14 去年負けたかたきをウつ。□
15 ピストルをウつまねをする。□
（ア撃　イ打　ウ売　エ宇　オ討）

2×5

/10

(三)

1〜5の三つの□に**共通する漢字**を入れて熟語を作れ。漢字は**ア〜コ**から**一つ**選び、**記号**を記せ。

1 □念・□筆・□事（　）

2 □汗・樹□・脱□（　）

3 下□・□話・若□（　）

4 □令・□図・中□（　）

5 □煙・□雲・若□（　）

ア 界	イ 理	ウ 雪	エ 紫	オ 執
カ 手	キ 発	ク 命	ケ 脂	コ 指

2×10

/20

(四)

熟語の構成のしかたには次のようなものがある。

ア 同じような意味の漢字を重ねたもの（**永久**）
イ 反対または対応の意味を表す字を重ねたもの（**天地**）
ウ 上の字が下の字を修飾しているもの（**予告**）
エ 下の字が上の字の目的語・補語になっているもの（**握手**）
オ 上の字が下の字の意味を打ち消しているもの（**不信**）

次の熟語は右の**ア〜オ**のどれにあたるか、**一つ**選び、**記号**を記せ。

1 湿潤（　）
2 伸縮（　）
3 冗長（　）
4 曇天（　）
5 合掌（　）
6 匿名（　）
7 昇降（　）
8 無為（　）
9 初演（　）
10 施錠（　）

(五)

1×10

/10

次の漢字の部首をア～エから一つ選び、記号にマークせよ。

1 婆（ア 皮　イ 又　ウ 氵　エ 女）
2 帝（ア 冖　イ 立　ウ 巾　エ 冂）
3 匿（ア 若　イ 匸　ウ 艹　エ 石）
4 塗（ア 土　イ 氵　ウ 示　エ 𠆢）
5 墜（ア 土　イ 豕　ウ 阝　エ 丷）
6 斗（ア 冫　イ 十　ウ 丨　エ 斗）
7 凍（ア 車　イ 八　ウ 冫　エ 日）
8 尿（ア 水　イ 氵　ウ 尸　エ 厂）
9 痘（ア 豆　イ 厂　ウ 广　エ 疒）
10 豚（ア 月　イ 豕　ウ 豸　エ 八）

(六)

2×10

/20

後の□内のひらがなを漢字に直して□に入れ、**対義語・類義語**を作れ。□内のひらがなは一度だけ使い、**一字記入**せよ。

対義語

1 華美－質□
2 虐待－□護
3 解雇－採□
4 縮小－□大
5 怠慢－□勉

類義語

6 不穏－□悪
7 架空－虚□
8 果敢－勇□
9 依頼－□嘱
10 体裁－□見

あい・い・がい・かく・きん・けん
こう・そ・もう・よう

2×5 /10

(七) 次の——線のカタカナを漢字一字と送りがな(ひらがな)に直せ。

〈例〉 数がスクナイ。 少ない

1 サカンに声援を送る。（　　）
2 見る見るうちに顔がアカラム。（　　）
3 イキオイよく外へ飛びだした。（　　）
4 つぼみが大きくフクラム。（　　）
5 アタラシイ札束を積み上げる。（　　）

2×10 /20

(八) 文中の四字熟語の——線のカタカナを漢字に直せ。（　）内に二字記入せよ。

1 カチョウ風月を楽しむ。（　　）
2 シンショウ棒大となって伝わる。（　　）
3 イッキョ両得で大満足した。（　　）
4 ようやくセイテン白日の身となる。（　　）
5 まさにジャクニク強食の世界だ。（　　）
6 創意クフウで生活を楽しむ。（　　）
7 首尾イッカンを欠く指令だ。（　　）
8 当意ソクミョウの受け答えをする。（　　）
9 直情ケイコウのふるまいに当惑する。（　　）
10 ここは大臣の金城トウチの選挙区だ。（　　）

2×5 /10

(九) 次の各文にまちがって使われている同じ読みの漢字が一字ある。（　）内の上に誤字を、下に正しい漢字を記せ。

1 二十年来の悲顔であったリーグ優勝を達成し家族と共に喜びに浸った。（　・　）
2 日進月歩する家庭用の電火製品を更に便利にするため日夜研究に励んでいる。（　・　）

3 両親と同居している兄から父が危篤であるとの連絡があり急いで帰郷した。（　・　）

4 弟と共に植えたチューリップの球根から目が出る日を心待ちにしている。（　・　）

5 世界に誇る我が国の新関線は突発事故が起きない限り時刻表通りに発着する。（　・　）

2×20

/40

(十) 次の――線のカタカナを漢字に直せ。

1 失火により**エンジョウ**したビルを消火する。（　　）
2 **コウガイ**には田畑が広がっていた。（　　）
3 **ジゼン**事業を評価され表彰《しょう》された。（　　）
4 業務委託の**ケイヤク**を交わす。（　　）
5 新たな問題が**ハセイ**した。（　　）
6 **ゴウウ**のため花火大会は中止になった。（　　）
7 今日で二学期が**シュウリョウ**した。（　　）
8 毎日長い**キョリ**を歩いて通学する。（　　）
9 友達と**コハン**でキャンプする。（　　）
10 親友はとても**ミリョク**的だ。（　　）
11 山の**シャメン**に植林する。（　　）
12 演劇用の**イショウ**を自分達で縫う。（　　）
13 モミジの**ナエギ**を庭に植える。（　　）
14 **ナメ**らかな舌触りの料理を味わう。（　　）
15 **オクバ**に食べ物が挟《はさ》まる。（　　）
16 涙を**サソ**う悲しい小説を読んだ。（　　）
17 濃い霧に視界を**ウバ**われた。（　　）
18 山を**ケズ**って住宅地を造成した。（　　）
19 母に駅まで**ムカ**えに来てもらう。（　　）
20 山頂には強い風が**フ**いていた。（　　）

3級

第12回★テスト（60分）

◇合計点◇

（200点満点の　　点）

- 140点以上　合格
- 110点以上　合格まであと一歩
- 80点以上　さらに努力を
- 79点以下　受検級を考え直しましょう

（一）

1×30　／30

次の――線の**漢字の読み**を**ひらがな**で記せ。

1 いかだに乗って漂流する。（　）
2 新入生を野球部に勧誘する。（　）
3 毎朝のジョギングを励行する。（　）
4 現代は飽食の時代と言われる。（　）
5 斥候に敵状を探らせる。（　）
6 授業の課題で抽象画を描く。（　）
7 壊れた門を修繕する。（　）
8 年度末に慰労会を開く。（　）
9 過去をふり返るとまことに感慨深い。（　）
10 掲示板にポスターを張り出す。（　）
11 情け容赦なく責め立てる。（　）
12 都市の近郊で暮らす。（　）
13 友人は虚勢を張っている。（　）
14 自由の抑圧は許されない。（　）
15 ぜひ翻意するようにとうながす。（　）
16 祖父を故郷の地に埋葬する。（　）
17 石灰岩はセメントの原料だ。（　）
18 雪道を徐行運転する。（　）
19 一朝一夕にできることではない。（　）
20 全く後悔先に立たずだ。（　）
21 撮りためた写真を整理する。（　）
22 ご飯がおいしく炊けた。（　）

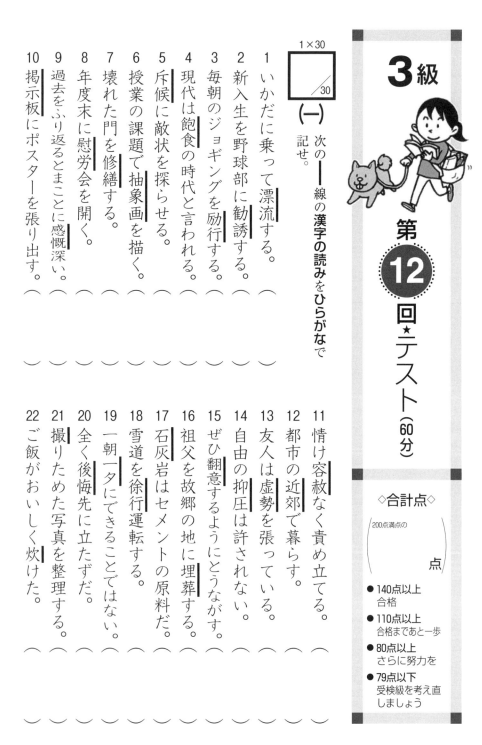

23 よこしまな人を憎む。（　）
24 レギュラーになれるまで粘る。（　）
25 もう読書には飽きてしまった。（　）
26 冷たい木枯らしが木々を裸にする。（　）
27 砂糖の塊を湯で溶かす。（　）
28 いろいろと脅し文句を並べる。（　）
29 休日くらい怠けていたい。（　）
30 赤ちゃんの健やかな成長を祈る。（　）

（二）

2×15 /30

次の――線の**カタカナ**にあてはまる漢字をそれぞれの**ア〜オ**から**一つ**選び、**記号**を記せ。

1 反対されるのは覚**ゴ**の上だ。
2 あなたに**ゴ**解されるとは心外だ。
3 強豪校と**ゴ**角の戦いを演じる。
（ア誤　イ後　ウ悟　エ護　オ互）

4 鉱山の地下に**コウ**道を掘る。
5 **コウ**外にある一軒家を購《こう》入した。
6 強い態度に抵**コウ**を感じる。
（ア抗　イ坑　ウ攻　エ巧　オ郊）

7 家電製品の大**レン**売が行われる。
8 **レン**金術は化学の元となった。
9 姉は**レン**愛小説を好んで読む。
（ア練　イ恋　ウ錬　エ連　オ廉）

10 政治的な色**サイ**を帯びる。
11 トラックの積**サイ**量を確かめる。
12 弟は五**サイ**の誕生日を迎えた。
（ア最　イ裁　ウ歳　エ彩　オ載）

13 自らの首を**シ**める言動だ。
14 賛成が過半数を**シ**めた。
15 気を引き**シ**めて仕事をする。
（ア締　イ絞　ウ死　エ占　オ至）

2×5

/10

(三)

1～5の三つの□に**共通する漢字**を入れて熟語を作れ。漢字は**ア～コ**から**一つ**選び、**記号**を記せ。

1 □勝・特□・□更（　）

2 □責・□荷・貴□（　）

3 身□・気□・□夫（　）

4 温□・□屋・□下（　）

5 □語・□表・青□（　）

ア 裏	イ 出	ウ 殊	エ 暖	オ 床
カ 軽	キ 優	ク 畳	ケ 重	コ 丈

2×10

/20

(四)

熟語の構成のしかたには次のようなものがある。

ア 同じような意味の漢字を重ねたもの（**永久**）
イ 反対または対応の意味を表す字を重ねたもの（**天地**）
ウ 上の字が下の字を修飾しているもの（**予告**）
エ 下の字が上の字の目的語・補語になっているもの（**握手**）
オ 上の字が下の字の意味を打ち消しているもの（**不信**）

次の熟語は右の**ア～オ**のどれにあたるか、**一つ**選び、**記号**を記せ。

1 惜別（　）　2 賢帝（　）　3 入籍（　）

4 骨髄（　）　5 非道（　）　6 屈伸（　）

7 無謀（　）　8 請願（　）　9 姓名（　）

10 衰弱（　）

(五)

1×10

/10

次の漢字の**部首**をア〜エから**一つ**選び、**記号にマーク**せよ。

		ア	イ	ウ	エ
1	藩	田	氵	艹	米
2	卑	十	ノ	田	口
3	漂	覀	示	小	氵
4	覆	覀	彳	夂	日
5	封	土	士	丶	寸
6	威	戈	女	弋	厂
7	蛮	亠	土	虫	廾
8	婆	氵	女	皮	又
9	概	木	艮	ノ	旡
10	赴	卜	土	人	走

(六)

2×10

/20

後の□内のひらがなを漢字に直して□に入れ、**対義語・類義語**を作れ。□内のひらがなは一度だけ使い、**一字記入**せよ。

対義語

1 錠剤—□薬
2 解放—拘□
3 抑制—促□
4 慎重—軽□
5 抽象—□体

類義語

6 傾向—□潮
7 辛苦—□儀
8 出世—□達
9 基礎—土□
10 感嘆—賛□

えい・ぐ・さん・しん・そく・そつ・だい・なん・び・ふう

2×5
10

(七)

次の――線のカタカナを漢字一字と送りがな(ひらがな)に直せ。

〈例〉 数がスクナイ。 少ない

1 兄の態度がニクラシイ。( )
2 世にアラソイごとは絶えない。( )
3 政界の第一線をシリゾク。( )
4 モッパラ体力づくりに励む。( )
5 アヤツリ人形の動きに感動する。( )

2×10
20

(八)

文中の四字熟語の――線のカタカナを漢字に直せ。( )内に二字記入せよ。

1 戦いはセンテ必勝が鉄則だ。( )
2 チョウサン暮四の話を見抜く。( )
3 ナンセン北馬の日々で休む暇もない。( )
4 イッショク即発の緊迫感がある。( )
5 ドウコウ異曲の出来栄えだ。( )
6 酒を飲み過ぎ前後フカクとなる。( )
7 転倒して人事フセイとなる。( )
8 天衣ムホウで愛らしい。( )
9 大山メイドウしてネズミ一匹。( )
10 諸行ムジョウの思いにとらわれる。( )

2×5
10

(九)

次の各文にまちがって使われている同じ読みの漢字が一字ある。( )内の上に誤字を、下に正しい漢字を記せ。

1 高校卒業後親族が経営する倉庫会社に努めて四十年がたち定年も間近だ。(・)
2 物心がつく前に両親を失ったがその虐境にめげず精一杯努力している。(・)

3 この問題がわかる人は手を挙げて指名された人は回答を黒板に書きなさい。（・）

4 入手することが非常に難しい貴重な本を図書館で悦覧することができた。（・）

5 県北部を襲った強い地震で被害を受けた被災地に全国から急援物資が届いた。（・）

(十) 次の――線のカタカナを漢字に直せ。

2×20 /40

1 **ダイタン**な計画を立てる。（）

2 熱帯雨林の**バッサイ**に反対する。（）

3 新入部員を**ボシュウ**する。（）

4 **ボキ**の試験が一週間後に迫る。（）

5 環境に**ハイリョ**した製品が売れている。（）

6 **コンイロ**の制服を着て通学する。（）

7 国道で**チュウシャ**できる場所を探す。（）

8 遠くで**タイホウ**の音が聞こえる。（）

9 スペインで**トウギュウ**を観戦する。（）

10 試験**ハンイ**をノートに書く。（）

11 家族で海沿いの旅館に**シュクハク**する。（）

12 **コウタク**のある生地でドレスを作った。（）

13 若者は無限の可能性を**ヒ**めている。（）

14 **イモノ**を作る会社に就職した。（）

15 **フタゴ**の弟と一緒に出かけた。（）

16 友人にペットの世話を**タノ**む。（）

17 子供と一緒《しょ》に風船を**フク**らませる。（）

18 いつのまにか水筒《とう》から水が**モ**れていた。（）

19 公共事業により地域経済が**ウルオ**う。（）

20 実家では**ブタ**や牛の飼育をしている。（）

3級

第13回★テスト（60分）

◇合計点◇

（200点満点の　　　点）

- 140点以上　合格
- 110点以上　合格まであと一歩
- 80点以上　さらに努力を
- 79点以下　受検級を考え直しましょう

1×30　　/30

(一) 次の——線の漢字の読みをひらがなで記せ。

1 病人が危篤におちいった。（　　）
2 単身赴任の父が帰宅した。（　　）
3 患《かん》者の傷口を縫合する。（　　）
4 外交問題を憂慮する。（　　）
5 香辛料を少し足してみる。（　　）
6 近所に民営の託児所がある。（　　）
7 高速道路建設を促進する。（　　）
8 弟は百点を取ってご満悦だ。（　　）
9 常に克己心を保つ。（　　）
10 零細企業に助成金を出す。（　　）
11 動物を虐待してはならない。（　　）
12 視聴者の意見が放送に反映される。（　　）
13 海底トンネルが貫通した。（　　）
14 容疑者を拘束する。（　　）
15 泳ぐ前に屈伸運動をする。（　　）
16 冬山の遭難事故が後を絶たない。（　　）
17 入試で優遇される資格を持つ。（　　）
18 国債は国の借金と言われる。（　　）
19 共謀して悪事をはたらく。（　　）
20 如才なく物事を運ぶ。（　　）
21 上りと下りの列車が擦れちがう。（　　）
22 どうも視力が衰えたようだ。（　　）

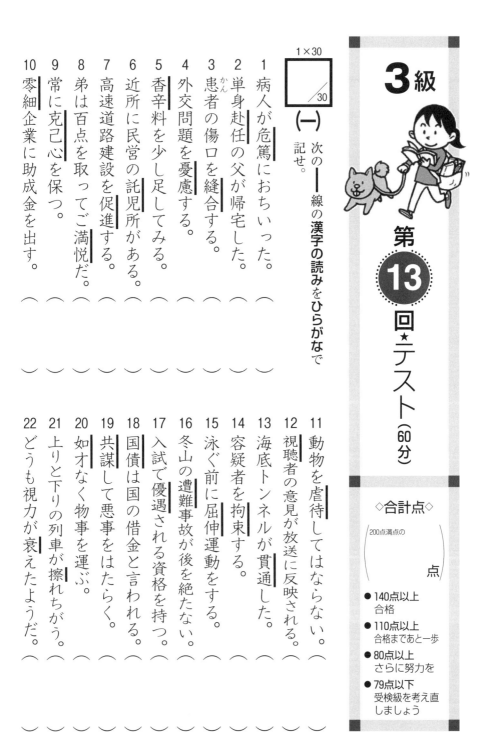

23 近ごろ練習を怠るようになった。（　　）
24 ロープを固く縛っておく。（　　）
25 乏しい予算でやりくりする。（　　）
26 毎日体力作りに励む。（　　）
27 庭を隔てて離れがある。（　　）
28 最近はテニスに凝っている。（　　）
29 紛らわしい名称は避ける。（　　）
30 旅行のお土産をいただいた。（　　）

2×15
/30

(二)

次の――線のカタカナにあてはまる漢字をそれぞれのア～オから一つ選び、記号を記せ。

1 負サイをかかえて倒産する。
2 他社と美術展を共サイする。
3 クレジットカードで決サイする。
（ア済　イ祭　ウ際　エ債　オ催）

4 自己ケイ発に努める。
5 相手のミスから逆転のケイ機をつかむ。
6 ケイ頭の花が咲いた。
（ア鶏　イ啓　ウ恵　エ契　オ敬）

7 論文の要シをまとめる。
8 今年度の計画を実シに移す。
9 大事な問題を委員会にシ問する。
（ア支　イ諮　ウ試　エ施　オ旨）

10 パソコンは文章のサク除が簡単だ。
11 牧場では毎朝サク乳をする。
12 突然サク乱状態になる。
（ア搾　イ作　ウ錯　エ削　オ策）

13 新作映画をトり始める。
14 ねずみトりをしかける。
15 家族そろって朝食をトる。
（ア取　イ執　ウ撮　エ捕　オ採）

2×5 □ /10

(三)

1～5の三つの□に**共通する漢字**を入れて熟語を作れ。漢字は**ア～コ**から**一つ**選び、**記号**を記せ。

1 形□・□目・筆□（　）

2 □相・□食・昼□（　）

3 譲□・□来・過□期（　）

4 □動・舞□・□子（　）

5 □業・□主・□宮（　）

ア 真	イ 勢	ウ 台	エ 神	オ 寝
カ 事	キ 扇	ク 労	ケ 渡	コ 跡

2×10 □ /20

(四)

熟語の構成のしかたには次のようなものがある。

ア 同じような意味の漢字を重ねたもの（**永久**）
イ 反対または対応の意味を表す字を重ねたもの（**天地**）
ウ 上の字が下の字を修飾しているもの（**予告**）
エ 下の字が上の字の目的語・補語になっているもの（**握手**）
オ 上の字が下の字の意味を打ち消しているもの（**不信**）

次の熟語は右の**ア～オ**のどれにあたるか、**一つ**選び、**記号**を記せ。

1 促成（　）
2 未完（　）
3 愛称（　）
4 潜伏（　）
5 精粗（　）
6 新鮮（　）
7 愛憎（　）
8 山賊（　）
9 基礎（　）
10 帰郷（　）

1×10
/10

(五)

次の漢字の**部首**を**ア～エ**から**一つ**選び、**記号にマーク**せよ。

1 奉（ア 大 イ 二 ウ 人 エ 十）
2 某（ア 甘 イ 木 ウ 一 エ 廾）
3 癖（ア 口 イ 辛 ウ 疒 エ 立）
4 募（ア 艹 イ 日 ウ 八 エ 力）
5 膨（ア 月 イ 彡 ウ 土 エ 士）
6 乏（ア ノ イ 乏 ウ 丶 エ 亻）
7 倣（ア 攵 イ 方 ウ 亻 エ 支）
8 房（ア 方 イ 一 ウ 尸 エ 戸）
9 簿（ア 氵 イ 竹 ウ 寸 エ 車）
10 暮（ア 小 イ 艹 ウ 曰 エ 日）

2×10
/20

(六)

後の□内のひらがなを漢字に直して□に入れ、**対義語・類義語**を作れ。□内のひらがなは一度だけ使い、**一字記入**せよ。

対義語

1 衰退－発□
2 大綱－細□
3 脱出－潜□
4 乾燥－□潤
5 疾走－牛□

類義語

6 炊事－□理
7 簡単－手□
8 実施－執□
9 企業－□社
10 収集－採□

かい・がる・こう・しつ・しゅ
てん・にゅう・ほ・もく・りょう

2×5 /10

(七) 次の**―**線の**カタカナ**を**漢字一字と送りがな(ひらがな)**に直せ。

〈例〉 数が**スクナイ**。 少ない

1 **コトワリ**の手紙を書く。（　　）
2 親友との別れを**オシム**。（　　）
3 急に体調が**クズレル**。（　　）
4 桜のさかりは**ミジカイ**。（　　）
5 **タダチニ**校庭に集合しなさい。（　　）

2×10 /20

(八) 文中の**四字熟語**の**―**線の**カタカナ**を**漢字**に直せ。（　）内に**二字記入**せよ。

1 **ソクテン去私**の境地に至る。（　　）
2 **フロウ長寿**の薬をさがす。（　　）
3 何度意見しても**バジ東風**だ。（　　）
4 違反者を**イチモウ打尽**にする。（　　）
5 無邪気な一言に**ハガン一笑**する。（　　）
6 **品行ホウセイ**な娘で安心だ。（　　）
7 **忠言ギャクジ**の説教だった。（　　）
8 **日常サハン**の見慣れた光景がくり広げられた。（　　）
9 **大所コウショ**から物を言う。（　　）
10 **無病ソクサイ**であることが何よりだ。（　　）

2×5 /10

(九) 次の各文にまちがって使われている**同じ読みの漢字**が**一字**ある。（　）内の**上**に**誤字**を、**下**に**正しい漢字**を記せ。

1 大統領が就任後初の隣国からの表恵訪問を受けて首脳会談を行った。（　・　）
2 国民公園内に造られた日本庭園の形観に見とれ時間の過ぎるのを忘れた。（　・　）

3 夏休みの間は大学構内の見学を随時受け付けておりたくさんの見学者が来る。（・）

4 長びく紛争に解決の糸口が見つからず首脳会談でも検悪な空気が漂う。（・）

5 北国育ちにとってこの地方の高温と湿気の多さは我慢の厳界を超えるものだ。（・）

(十) 次の――線のカタカナを漢字に直せ。

2×20　/40

1 兄とともに**セイソウ**会社を設立した。（　）

2 年初から金の価格が**ジョウショウ**している。（　）

3 **スウセキ**の船が出航していった。（　）

4 **タクジショ**に娘を迎えに行く。（　）

5 **グウハツ**的な事件に巻き込まれた。（　）

6 **ホジョリン**付きの自転車に乗る。（　）

7 大きな病院で**チリョウ**を受けた。（　）

8 **ユウダイ**な自然の姿に心を打たれる。（　）

9 **コウガイ**の住宅地に家を買う。（　）

10 父は西洋文化に**シンスイ**している。（　）

11 病人に**ジヨウ**のある食べ物を与える。（　）

12 **テンジョウ**に描かれた絵を鑑賞する。（　）

13 **シタウ**け業者と打ち合わせを行う。（　）

14 色鉛筆で**ヌ**り絵をする。（　）

15 ダンベルを使って体を**キタ**える。（　）

16 泣いている友人を**ナグサ**める。（　）

17 息子を**カタグルマ**する。（　）

18 休みの日に庭の**シバカ**りをする。（　）

19 川には**ク**ちかかった橋があった。（　）

20 母に**テブクロ**をプレゼントする。（　）

3級

第14回★テスト（60分）

◇合計点◇

200点満点の　　点

- 140点以上 合格
- 110点以上 合格まであと一歩
- 80点以上 さらに努力を
- 79点以下 受検級を考え直しましょう

1×30　　/30

(一) 次の――線の**漢字の読み**を**ひらがな**で記せ。

1 共同募金に協力する。
2 気分がとても高揚する。
3 容疑者の不審な点を取り調べる。
4 記念銀貨を鋳造する。
5 霊界の存在を信じる。
6 仲間と共に険阻な山を登る。
7 かぜが悪化して肺炎になった。
8 相手の話をよく聞くことが肝要だ。
9 病院で検尿してもらう。
10 修学旅行を十一月に実施する。
11 弱冠とは男子二十歳のことをいう。
12 秋の峡谷を船で下る。
13 自分の考えを開陳する。
14 法律を遵守する。
15 よろしくご賢察を願う。
16 錠前を取りかえる。
17 強硬に反対意見を述べる。
18 我が子をやさしく抱擁する。
19 仏の化身としてこの世に現れた。
20 一連の問題に終止符を打つ。
21 委員会に諮って決める。
22 バスに乗ると必ず酔う。

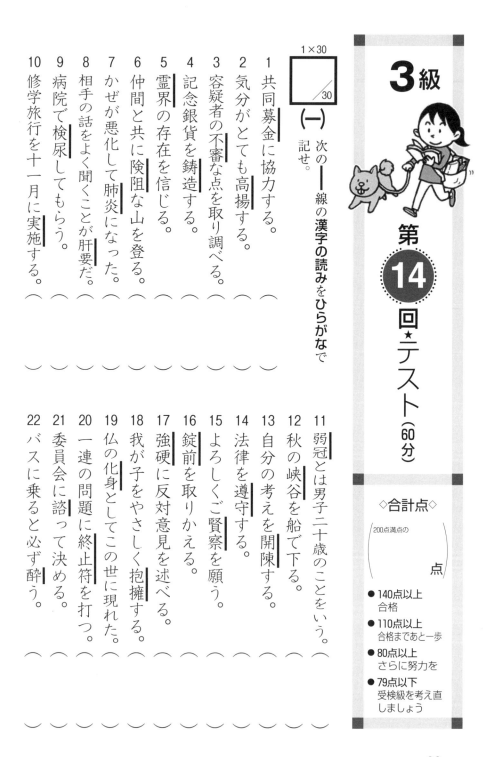

23 手袋を片方なくしてしまった。（　　）
24 強い風で帆柱が折れた。（　　）
25 工事の進行を妨げる者がいる。（　　）
26 手紙を細かく裂いて捨てた。（　　）
27 愚かしい失敗をしたものだ。（　　）
28 埋もれ木で細工物を作る。（　　）
29 昔ながらの機織りが行われている。（　　）
30 毎朝竹刀の素振りをする。（　　）

2×15

/30

(二)

次の――線のカタカナにあてはまる漢字をそれぞれのア～オから一つ選び、記号を記せ。

1 山道に突ジョクマが現れた。
2 雪のためジョ行運転となる。
3 薬品を使ってカビをジョ去する。

（ア徐　イ助　ウ如　エ序　オ除）

4 技コウ的な文章を書く。
5 豆を発コウさせてみそを作る。
6 大学で電子工学を専コウする。

（ア郊　イ抗　ウ攻　エ巧　オ酵）

7 深窓の令ジョウと見合いする。
8 容疑者に手ジョウをかける。
9 先輩の意見にジョウ歩する。

（ア譲　イ嬢　ウ条　エ錠　オ状）

10 豊ジュンな大地の恵みに感謝する。
11 一年中ジュン業する小劇団だ。
12 容疑者の証言には矛ジュンがある。

（ア潤　イ盾　ウ純　エ旬　オ巡）

13 宝石を見る目がコえてきた。
14 グラタンにコげ目をつける。
15 少しコい目のお茶をいれる。

（ア請　イ濃　ウ越　エ肥　オ焦）

2×5

/10

(三)

1～5の三つの□に**共通する漢字**を入れて熟語を作れ。漢字は**ア～コ**から**一つ**選び、**記号**を記せ。

1 □在・沈□・□入（　）

2 両□・交□・振□（　）

3 □席・首□・□違（　）

4 □発・□葉・□方（　）

5 □筋・□野・□相（　）

ア 鉄	イ 親	ウ 空	エ 粗	オ 潜
カ 相	キ 始	ク 替	ケ 滞	コ 双

2×10

/20

(四)

熟語の構成のしかたには次のようなものがある。

ア 同じような意味の漢字を重ねたもの　（**永久**）
イ 反対または対応の意味を表す字を重ねたもの　（**天地**）
ウ 上の字が下の字を修飾しているもの　（**予告**）
エ 下の字が上の字の目的語・補語になっているもの　（**握手**）
オ 上の字が下の字の意味を打ち消しているもの　（**不信**）

次の熟語は右の**ア～オ**のどれにあたるか、**一つ**選び、**記号**を記せ。

1 未了（　）
2 幼稚（　）
3 訪欧（　）
4 教壇（　）
5 浮沈（　）
6 駐留（　）
7 淡彩（　）
8 免職（　）
9 諾否（　）
10 食卓（　）

1×10

/10

(五)

次の漢字の**部首**を**ア〜エ**から**一つ**選び、**記号にマーク**せよ。

1 墨（ア 灬　イ 土　ウ 田　エ 里）
2 魔（ア 广　イ ム　ウ 木　エ 鬼）
3 憂（ア 心　イ 冖　ウ 目　エ 夂）
4 濫（ア 皿　イ 臣　ウ 氵　エ 匚）
5 翻（ア 田　イ 釆　ウ 冫　エ 羽）
6 裸（ア 礻　イ 木　ウ 田　エ 大）
7 賢（ア 又　イ 匚　ウ 臣　エ 貝）
8 免（ア 刀　イ 儿　ウ 虫　エ 色）
9 魅（ア 儿　イ 尢　ウ 鬼　エ 竜）
10 幽（ア 幺　イ 丨　ウ 山　エ 糸）

2×10

/20

(六)

後の□内のひらがなを漢字に直して□に入れ、**対義語・類義語**を作れ。□内のひらがなは一度だけ使い、**一字記入**せよ。

対義語

1 邪道－□道
2 浅瀬－深□
3 賢兄－愚□
4 伸長－収□
5 偶然－□然

類義語

6 心酔－傾□
7 健康－□夫
8 根幹－□礎
9 苦労－辛□
10 不在－□守

かい・き・さん・しゅく・じょう・せい
てい・とう・ひつ・る

2×5

/10

（七） 次の――線のカタカナを漢字一字と送りがな（ひらがな）に直せ。

〈例〉 数がスクナイ。［少ない］

1 生徒を安全な場所へミチビク。（　　）
2 イチジルシイ進歩を遂げる。（　　）
3 怖くて思わず顔をソムケた。（　　）
4 ムズカシイ問題に直面する。（　　）
5 チラカッたおもちゃを片付ける。（　　）

2×10

/20

（八） 文中の四字熟語の――線のカタカナを漢字に直せ。（　）内に二字記入せよ。

1 タリキ本願で自ら努力しない。（　　）
2 ヘンゲン自在に飛び回る。（　　）
3 ジンカイ戦術で山に落ちているゴミを拾う。（　　）
4 リヒ曲直を見極める。（　　）
5 姉はハクガク多才の人である。（　　）
6 攻撃と防御は表裏イッタイだ。（　　）
7 武運チョウキュウの祈りをこめる。（　　）
8 百家ソウメイの討論会だった。（　　）
9 油断タイテキと肝にめいじる。（　　）
10 規則の有名ムジツ化を嘆く。（　　）

2×5

/10

（九） 次の各文にまちがって使われている同じ読みの漢字が一字ある。（　）内の上に誤字を、下に正しい漢字を記せ。

1 一年間の秘めた恋心を刻白したのに相手から無視され気持ちが落ち込む。（　・　）
2 身振り手振りを交えると言葉がわからずとも結講外国人にも通じるものだ。（　・　）

3 中学校や高校などで行われる定期的な試験のことを考差とも呼ぶ。（・）

4 母に牛乳を電子レンジで温めてもらったら表面に薄い幕ができていた。（・）

5 能や謡曲など日本個有の文化には外国人にも愛好家が多いといわれる。（・）

2×20

/40

(十) 次の——線のカタカナを漢字に直せ。

1 まずは有名な作品を**モホウ**してみる。（ ）

2 チームの**シュジク**として活躍した。（ ）

3 地震により海岸が**リュウキ**した。（ ）

4 封書に**ユウビン**番号を記す。（ ）

5 社の**ソンボウ**をかけた仕事だ。（ ）

6 **ハクリョク**ある映像に息を飲む。（ ）

7 優勝はチーム全員の努力の**ケッショウ**だ。（ ）

8 戦争により一家**リサン**した。（ ）

9 手の**コウ**を虫に刺されてしまった。（ ）

10 日本の夏は**シツド**が高い。（ ）

11 政敵の秘密を**バクロ**する。（ ）

12 犯人はまだ周辺に**センプク**している。（ ）

13 妹は**ニク**めない性格をしている。（ ）

14 会議に出席して**ホ**しい。（ ）

15 大きな**ツバサ**を広げて鳥が羽ばたく。（ ）

16 美しい主人公は外国に**トツ**いだ。（ ）

17 秋風に**イナホ**が揺れている。（ ）

18 大雨の後は川の水が**ニゴ**る。（ ）

19 **オ**しくも決勝戦で敗れる。（ ）

20 **スデ**に大半の生徒は帰宅している。（ ）

3級

第15回★テスト（60分）

◇合計点◇

（200点満点の　　点）

- 140点以上　合格
- 110点以上　合格まであと一歩
- 80点以上　さらに努力を
- 79点以下　受検級を考え直しましょう

1×30　　／30

(一) 次の――線の**漢字の読み**を**ひらがな**で記せ。

1 別室で暫時待機する。（　　）
2 山の中腹で小憩をとった。（　　）
3 まだ封建思想が残っている。（　　）
4 近所で起きた事件に動揺する。（　　）
5 海賊が横行した時代があった。（　　）
6 某国の記者という触れ込みだった。（　　）
7 書庫の資料を閲覧する。（　　）
8 衰微した伝統芸能を復活させる。（　　）
9 キャンバスに顔の輪郭を描く。（　　）
10 話し合いを円滑に進める。（　　）
11 古い家具を廃棄する。（　　）
12 酵素は物質の化学的分解・合成を行う。（　　）
13 今回の場合は特殊なケースと言える。（　　）
14 強い決意で雪辱戦にのぞむ。（　　）
15 技術提携を推進する。（　　）
16 タイムレコーダで勤怠管理をする。（　　）
17 航空機の墜落事故が起きた。（　　）
18 鎮守の森が幼時の遊び場だった。（　　）
19 都市の人口は膨張する一方だ。（　　）
20 随筆集を楽しみながら読む。（　　）
21 傷に適切な手当を施す。（　　）
22 麦の穂はまだ青い。（　　）

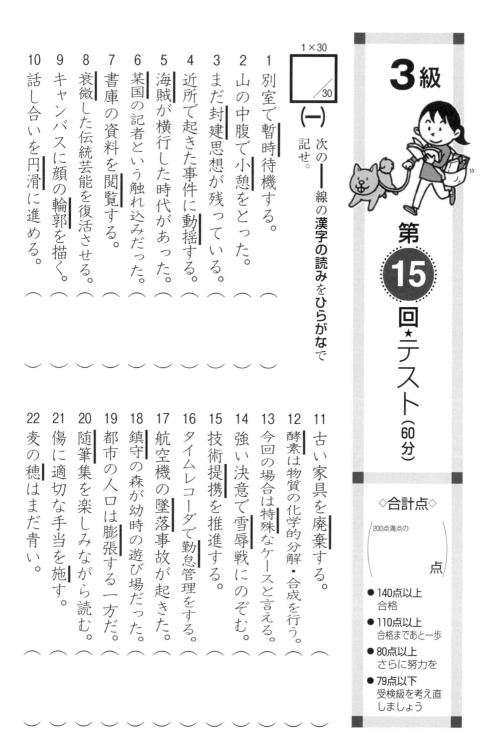

23 目で返答を促す。（　　）
24 それは危険の伴う仕事だ。（　　）
25 人混みを縫って目的地に急ぐ。（　　）
26 古い家なので雨漏りがする。（　　）
27 壁に油絵を掛ける。（　　）
28 戦争反対の主張を掲げる。（　　）
29 サッカー場の芝生を張る。（　　）
30 早朝から名残の雪が降る。（　　）

2×15 /30

(二)

次の――線のカタカナにあてはまる漢字をそれぞれのア～オから一つ選び、記号を記せ。

1 挙動不シンな人物がうろつく。
2 母はシン抱強く父を介護する。
3 業績が不シンにおちいる。
（ア辛　イ審　ウ振　エ心　オ信）

4 明日は私がスイ事当番だ。
5 人は祖父をスイ人だと言う。
6 完ぺきに任務をスイ行する。
（ア衰　イ水　ウ炊　エ粋　オ遂）

7 書セキの売上が低下している。
8 船が一セキ港に入った。
9 外国人を排セキすべきではない。
（ア籍　イ惜　ウ隻　エ斥　オ跡）

10 先人の犠セイの上に今がある。
11 選挙への出馬の要セイをする。
12 部活動の試合で隣の県に遠セイした。
（ア請　イ牲　ウ征　エ姓　オ勢）

13 時間をサいて人と会う。
14 氷山にサけ目ができる。
15 水たまりをサけて歩く。
（ア指　イ避　ウ去　エ裂　オ割）

2×5 /10

(三)

1～5の三つの□に**共通する漢字**を入れて熟語を作れ。漢字は**ア～コ**から**一つ**選び、**記号**を記せ。

1 □物・□造・□型（　）

2 □水・□山・光□（　）

3 □数・□的・道□（　）

4 鼓□・□奏・□雪（　）

5 再□・□議・□具（　）

ア 吹	イ 行	ウ 指	エ 端	オ 沢
カ 天	キ 立	ク 男	ケ 建	コ 鋳

2×10 /20

(四)

熟語の構成のしかたには次のようなものがある。

ア 同じような意味の漢字を重ねたもの（**永久**）
イ 反対または対応の意味を表す字を重ねたもの（**天地**）
ウ 上の字が下の字を修飾しているもの（**予告**）
エ 下の字が上の字の目的語・補語になっているもの（**握手**）
オ 上の字が下の字の意味を打ち消しているもの（**不信**）

次の熟語は右の**ア～オ**のどれにあたるか、**一つ**選び、**記号**を記せ。

1 非常（　）
2 締結（　）
3 塗料（　）
4 濃淡（　）
5 訂正（　）
6 曇天（　）
7 添削（　）
8 養豚（　）
9 隠匿（　）
10 鎮火（　）

(五)

1×10

/10

次の漢字の**部首**を**ア〜エ**から**一つ**選び、**記号にマーク**せよ。

1 吏（ア 尢　イ 大　ウ 一　エ 口）
2 漏（ア 氵　イ 雨　ウ 尸　エ 冂）
3 裂（ア 刂　イ 歹　ウ 衣　エ 亠）
4 楼（ア 女　イ 十　ウ 米　エ 木）
5 廊（ア 阝　イ 广　ウ 良　エ 厶）
6 了（ア 亅　イ 丨　ウ 又　エ 卜）
7 湾（ア 弓　イ 八　ウ 亠　エ 氵）
8 猟（ア 㣺　イ 几　ウ 犭　エ 二）
9 零（ア 氵　イ 雨　ウ 人　エ 冖）
10 厘（ア 厂　イ 里　ウ 土　エ 田）

(六)

2×10

/20

後の□内のひらがなを漢字に直して□に入れ、**対義語・類義語**を作れ。□内のひらがなは一度だけ使い、**一字記入**せよ。

対義語

1 地獄－□楽
2 追加－削□
3 追随－率□
4 憎悪－熱□
5 超過－□満

類義語

6 精励－勤□
7 説教－訓□
8 邪推－疑□
9 準備－□意
10 緊急－切□

あい・かい・ごく・じょ・せん
ねん・ぱく・べん・み・よう

2×5

10

(七) 次の――線のカタカナを漢字一字と送りがな(ひらがな)に直せ。

〈例〉数がスクナイ。 少ない

1 ボートが波間にタダヨッている。( )
2 優れた作品にふれ目をコヤス。( )
3 法をオカシた罪をつぐなう。( )
4 カナラズ歌う十八番がある。( )
5 笑顔のウツクシイ人だ。( )

2×10

20

(八) 文中の四字熟語の――線のカタカナを漢字に直せ。( )内に二字記入せよ。

1 蔵書をニソク三文で処分した。( )
2 シリ滅裂の言い訳をする。( )
3 ムガ夢中で逃げ出した。( )
4 ヒャッキ夜行の無政府状態だ。( )
5 リッシン出世を夢見て都会へ行く。( )
6 理路セイゼンと自分の主張を述べた。( )
7 兄は博覧キョウキの人物だ。( )
8 天変チイの前兆かもしれない。( )
9 門外フシュツの絵を拝見した。( )
10 いよいよ好機トウライだ。( )

2×5

10

(九) 次の各文にまちがって使われている同じ読みの漢字が一字ある。( )内の上に誤字を、下に正しい漢字を記せ。

1 夏休みの課題として朝顔の観擦と読書感想文を提出する予定だ。(・)
2 兄は大学の入学試験で不合格となり翌年度は廊人生となることが決まった。(・)

3 東北の小京都と呼ばれる町の祉跡を巡り郷土料理を味わって帰った。（　・　）

4 母の自病は頭痛で趣味の旅行に出掛ける時にも必ず痛み止めの常備薬を持つ。（　・　）

5 大学入学後は勉学にまた運動にも励みさほど無理せず主席で卒業できた。（　・　）

(十) 次の――線のカタカナを漢字に直せ。

2×20　／40

1 病院でカンゾウの検査をしてもらう。（　）

2 工務店に家のシュウゼンを頼む。（　）

3 世の中はゴラクにあふれている。（　）

4 エコーでタイジの様子を診《み》る。（　）

5 ジリツ神経が乱れる。（　）

6 大道具を裏口からハンニュウする。（　）

7 ケイジになって事件を解決したい。（　）

8 野原に雑草がハンモしている。（　）

9 友人の頼みをカイダクする。（　）

10 職場でジョサイなく立ち回る。（　）

11 二つの事象はヒョウリ一体を成している。（　）

12 タッキュウの国際大会で優勝した。（　）

13 海にノゾむ場所に家を建てた。（　）

14 巨匠のマボロシの作品が発見された。（　）

15 背中のニブい痛みがとれない。（　）

16 トコの間に掛け軸を飾った。（　）

17 手品のシカけに驚いた。（　）

18 飼っていた犬はとてもカシコかった。（　）

19 他者の言葉にマドわされなかった。（　）

20 午後になると天気がクズれだした。（　）

3級配当漢字表

◀画数　◀漢字　◀読み　カタカナは音、ひらがなは訓、赤文字は送りがな。(　)は高校で習う読み。　◀部首　◀部首名　◀用例　準2級以上の配当漢字には色がついています。(　)の中の漢字は特別な読みです。

画数	漢字	読み	部首	部首名	用例
ア 9	哀	アイ　あわれ　あわれむ	口	くち	哀感《あいかん》・哀調《あいちょう》　子《こ》を哀《あわ》れむ
イ 15	慰	イ　なぐさめる　なぐさむ	心	こころ	慰労《いろう》　心《こころ》を慰《なぐさ》める
エ 12	詠	エイ　(よむ)	言	ごんべん	詠嘆《えいたん》・詩詠《しえい》　朗詠《ろうえい》
10	悦	エツ	忄	りっしんべん	悦楽《えつらく》・喜悦《きえつ》　満悦《まんえつ》
15	閲	エツ	門	もんがまえ	閲覧《えつらん》・閲兵《えっぺい》　検閲《けんえつ》・校閲《こうえつ》
8	炎	エン　ほのお	火	ひ	炎上《えんじょう》・炎天下《えんてんか》　炎《ほのお》の人《ひと》
10	宴	エン	宀	うかんむり	宴会《えんかい》・宴席《えんせき》　祝宴《しゅくえん》・酒宴《しゅえん》
オ 8	欧	オウ	欠	あくび　かける	欧米《おうべい》・欧文《おうぶん》　西欧《せいおう》・渡欧《とおう》
8	殴	(オウ)　なぐる	殳	るまた　ほこづくり	殴《なぐ》り合《あ》い　人《ひと》を殴《なぐ》る
1	乙	オツ	乙	おつ	乙《おつ》な味《あじ》・甲乙《こうおつ》　(乙女《おとめ》)
9	卸	おろす　おろし	卩	わりふ　ふしづくり	卸《おろ》し売《う》り　卸商《おろししょう》・卸値《おろしね》
16	穏	オン　おだやか	禾	のぎへん	穏健《おんけん》・平穏《へいおん》　穏《おだ》やかに話《はな》す
カ 8	佳	カ	亻	にんべん	佳作《かさく》・佳境《かきょう》　佳日《かじつ》・絶佳《ぜっか》
9	架	カ　かける　かかる	木	き	架空《かくう》・架線《かせん》　虹《にじ》が架《か》かる
10	華	カ　(ケ)　はな	艹	くさかんむり	華美《かび》・華道《かどう》　華華《はなばな》しい活躍《かつやく》
13	嫁	(カ)　よめ　とつぐ	女	おんなへん	嫁入《よめい》り・花嫁《はなよめ》　嫁《とつ》ぎ先《さき》
15	餓	ガ	飠	しょくへん	餓死《がし》　餓鬼《がき》
8	怪	カイ　あやしい　あやしむ	忄	りっしんべん	怪奇《かいき》・怪物《かいぶつ》　怪《あや》しい人物《じんぶつ》
9	悔	カイ　くいる　くやむ　くやしい	忄	りっしんべん	悔恨《かいこん》・後悔《こうかい》　悔《く》やむ・悔《くや》しい
13	塊	カイ　かたまり	土	つちへん	塊状《かいじょう》・金塊《きんかい》　団塊《だんかい》・欲《よく》の塊《かたまり》
13	慨	ガイ	忄	りっしんべん	慨嘆《がいたん》　感慨《かんがい》
13	該	ガイ	言	ごんべん	該当《がいとう》　該博《がいはく》
14	概	ガイ	木	きへん	概略《がいりゃく》　気概《きがい》
11	郭	カク	阝	おおざと	郭外《かくがい》・外郭《がいかく》　輪郭《りんかく》・城郭《じょうかく》
13	隔	カク　へだてる　へだたる	阝	こざとへん	隔世《かくせい》・間隔《かんかく》　時《とき》を隔《へだ》てる
18	穫	カク	禾	のぎへん	収穫《しゅうかく》
8	岳	ガク　たけ	山	やま	岳人《がくじん》・岳父《がくふ》　谷川岳《たにがわだけ》
11	掛	かける　かかる　かかり	扌	てへん	掛《か》け声《ごえ》　仕掛《しか》け

13	滑	カツ・コツ・すべる・なめらか	氵	さんずい	滑走《かっそう》・滑稽《こっけい》 滑《なめ》らかな運営《うんえい》
7	肝	カン・きも	月	にくづき	肝心《かんじん》・肝要《かんよう》 肝《きも》を冷《ひ》やす
9	冠	カン・かんむり	冖	わかんむり	冠水《かんすい》・栄冠《えいかん》 冠《かんむり》を曲《ま》げる
11	勘	カン	力	ちから	勘定《かんじょう》・勘案《かんあん》 山勘《やまかん》
11	貫	カン・つらぬく	貝	かい・こがい	貫通《かんつう》・一貫《いっかん》 初心《しょしん》を貫《つらぬ》く
12	喚	カン	口	くちへん	喚声《かんせい》・喚問《かんもん》 叫喚《きょうかん》・召喚《しょうかん》
12	換	カン・かえる・かわる	扌	てへん	換気《かんき》・交換《こうかん》 席《せき》を換《か》わる
12	敢	カン	攵	のぶん・ぼくづくり	敢然《かんぜん》・敢行《かんこう》 勇敢《ゆうかん》・果敢《かかん》
15	緩	カン・ゆるい・ゆるやか・ゆるむ・ゆるめる	糸	いとへん	緩急《かんきゅう》・緩慢《かんまん》 緩《ゆる》い斜面《しゃめん》
6 キ	企	キ・くわだてる	人	ひとやね	企業《きぎょう》・企画《きかく》 悪事《あくじ》を企《くわだ》てる
7	忌	キ・(いむ)・(いまわしい)	心	こころ	忌日《きにち(きじつ)》 忌中《きちゅう》・一周忌《いっしゅうき》
9	軌	キ	車	くるまへん	軌道《きどう》・軌跡《きせき》 軌範《きはん》・常軌《じょうき》
10	既	キ・すでに	旡	なし・ぶ・すでのつくり	既定《きてい》・既得《きとく》 既《すで》に手遅《ておく》れ
12	棋	キ	木	きへん	棋士《きし》・棋力《きりょく》 将棋《しょうぎ》
13	棄	キ	木	き	棄権《きけん》・棄却《ききゃく》 放棄《ほうき》・破棄《はき》
18	騎	キ	馬	うまへん	騎士《きし》・騎手《きしゅ》 騎馬《きば》・騎兵《きへい》
12	欺	ギ・あざむく	欠	あくび・かける	詐欺《さぎ》 人《ひと》を欺《あざむ》く
17	犠	ギ	牛	うしへん	犠牲《ぎせい》 犠打《ぎだ》
11	菊	キク	艹	くさかんむり	菊人形《きくにんぎょう》 野菊《のぎく》・白菊《しらぎく》
6	吉	キチ・キツ	口	くち	吉日《きちじつ》・大吉《だいきち》 吉凶《きっきょう》・吉報《きっぽう》
12	喫	キツ	口	くちへん	喫煙《きつえん》・喫茶《きっさ》 喫水《きっすい》・満喫《まんきつ》
9	虐	ギャク・(しいたげる)	虍	とらがしら・とらかんむり	虐待《ぎゃくたい》・虐殺《ぎゃくさつ》 残虐《ざんぎゃく》・自虐《じぎゃく》
11	虚	キョ・(コ)	虍	とらがしら・とらかんむり	虚心《きょしん》・虚栄《きょえい》 虚無《きょむ》・空虚《くうきょ》
9	峡	キョウ	山	やまへん	峡谷《きょうこく》・峡湾《きょうわん》 海峡《かいきょう》
10	脅	キョウ・おどす・おどかす・(おびやかす)	肉	にく	脅威《きょうい》・脅迫《きょうはく》 人《ひと》を脅《おど》かす
16	凝	ギョウ・こる・こらす	冫	にすい	凝結《ぎょうけつ》・凝視《ぎょうし》 肩《かた》が凝《こ》る
4	斤	キン	斤	きん	斤量《きんりょう》・斤目《きんめ》 一斤《いっきん》
15	緊	キン	糸	いと	緊急《きんきゅう》・緊張《きんちょう》 緊密《きんみつ》・緊迫《きんぱく》
13 ク	愚	グ・おろか	心	こころ	愚問《ぐもん》・愚策《ぐさく》 愚《おろ》か者《もの》
11	偶	グウ	亻	にんべん	偶然《ぐうぜん》・偶数《ぐうすう》 偶発《ぐうはつ》・配偶者《はいぐうしゃ》

12	遇	グウ	⻍	しんにょう しんにゅう	優遇《ゆうぐう》・不遇《ふぐう》 境遇《きょうぐう》・一遇《いちぐう》
6 ケ	刑	ケイ	刂	りっとう	刑法《けいほう》・刑事《けいじ》 求刑《きゅうけい》・終身刑《しゅうしんけい》
9	契	ケイ （ちぎる）	大	だい	契約《けいやく》・契印《けいいん》 契機《けいき》・黙契《もっけい》
11	啓	ケイ	口	くち	啓発《けいはつ》・啓示《けいじ》 拝啓《はいけい》・謹啓《きんけい》
11	掲	ケイ かかげる	扌	てへん	掲示《けいじ》・掲載《けいさい》 目標《もくひょう》を掲《かか》げる
13	携	ケイ たずさえる たずさわる	扌	てへん	携行《けいこう》・必携《ひっけい》 仕事《しごと》に携《たずさ》わる
16	憩	ケイ いこい （いこう）	心	こころ	休憩《きゅうけい》・小憩《しょうけい》 憩《いこ》いの時間《じかん》
19	鶏	ケイ にわとり	鳥	とり	鶏肉《けいにく》・鶏鳴《けいめい》 鶏《にわとり》の卵《たまご》
19	鯨	ゲイ くじら	魚	うおへん	鯨肉《げいにく》・捕鯨《ほげい》 鯨尺《くじらじゃく》
10	倹	ケン	亻	にんべん	倹約《けんやく》 勤倹力行《きんけんりっこう》

16	賢	ケン かしこい	貝	かい こがい	賢人《けんじん》・賢明《けんめい》 賢《かしこ》い人《ひと》
4	幻	ゲン まぼろし	幺	よう いとがしら	幻想《げんそう》・幻覚《げんかく》 幻《まぼろし》を見《み》る
9 コ	孤	コ	子	こへん	孤高《ここう》・孤児《こじ》 孤島《ことう》・孤独《こどく》
9	弧	コ	弓	ゆみへん	弧状《こじょう》 円弧《えんこ》
12	雇	コ やとう	隹	ふるとり	雇用《こよう》・解雇《かいこ》 雇《やと》い人《にん》
21	顧	コ かえりみる	頁	おおがい	顧客《こきゃく》・愛顧《あいこ》 過去《かこ》を顧《かえり》みる
10	娯	ゴ	女	おんなへん	娯楽《ごらく》映画《えいが》
10	悟	ゴ さとる	忄	りっしんべん	悟道《ごどう》・覚悟《かくご》 悟《さと》りが早《はや》い
4	孔	コウ	子	こへん	孔版《こうはん》・気孔《きこう》 鼻孔《びこう》
5	巧	コウ たくみ	工	たくみへん	巧者《こうしゃ》・精巧《せいこう》 巧《たく》みな技《わざ》

5	甲	コウ カン	田	た	甲乙《こうおつ》・甲虫《こうちゅう》 甲板《かんぱん》・甲高《かんだか》い
7	坑	コウ	土	つちへん	坑道《こうどう》・坑夫《こうふ》 金坑《きんこう》・炭坑《たんこう》
8	拘	コウ	扌	てへん	拘束《こうそく》・拘留《こうりゅう》 拘置所《こうちしょ》
9	郊	コウ	阝	おおざと	郊外《こうがい》 近郊《きんこう》
11	控	（コウ） ひかえる	扌	てへん	控《ひか》え室《しつ》 控《ひか》えめな態度《たいど》
12	慌	（コウ） あわてる あわただしい	忄	りっしんべん	慌《あわ》て者《もの》 大慌《おおあわ》て
12	硬	コウ かたい	石	いしへん	硬貨《こうか》・硬水《こうすい》 表情《ひょうじょう》が硬《かた》い
12	絞	（コウ） しぼる しめる しまる	糸	いとへん	豆絞《まめしぼ》り 首《くび》を絞《し》める
14	綱	コウ つな	糸	いとへん	綱紀《こうき》・要綱《ようこう》 頼《たの》みの綱《つな》
14	酵	コウ	酉	とりへん	酵母《こうぼ》・酵素《こうそ》 発酵《はっこう》

7	克	コク	儿	ひとあし にんにょう	克服《こくふく》・克明《こくめい》 克己《こっき》・相克《そうこく》
14	獄	ゴク	犭	けものへん	獄中《ごくちゅう》・獄死《ごくし》 地獄《じごく》・投獄《とうごく》
9	恨	コン うらむ うらめしい	忄	りっしんべん	痛恨《つうこん》・遺恨《いこん》 恨《うら》み言《ごと》
11	紺	コン	糸	いとへん	紺地《こんじ》・紺屋《こんや》 紫紺《しこん》・濃紺《のうこん》
14	魂	コン たましい	鬼	おに	魂胆《こんたん》・商魂《しょうこん》 面魂《つらだましい》
16	墾	コン	土	つち	墾田《こんでん》 開墾《かいこん》
13 サ	債	サイ	亻	にんべん	債券《さいけん》・債権《さいけん》 債務《さいむ》・国債《こくさい》
13	催	サイ もよおす	亻	にんべん	催促《さいそく》・主催《しゅさい》 音楽会《おんがくかい》を催《もよお》す
9	削	サク けずる	刂	りっとう	削減《さくげん》・削除《さくじょ》 鉛筆《えんぴつ》を削《けず》る
13	搾	(サク) しぼる	扌	てへん	乳搾《ちちしぼ》り
16	錯	サク	金	かねへん	錯乱《さくらん》・錯誤《さくご》 交錯《こうさく》・倒錯《とうさく》
15	撮	サツ とる	扌	てへん	撮影《さつえい》 早撮《はやど》り
17	擦	サツ する すれる	扌	てへん	擦過傷《さっかしょう》・塗擦《とさつ》 くつ擦《ず》れ
15	暫	ザン	日	ひ	暫定《ざんてい》 暫時《ざんじ》
8 シ	祉	シ	礻	しめすへん	福祉《ふくし》
9	施	シ (セ) ほどこす	方	ほうへん かたへん	施設《しせつ》・実施《じっし》 面目《めんぼく》を施《ほどこ》す
16	諮	シ はかる	言	ごんべん	諮問《しもん》 総会《そうかい》に諮《はか》る
8	侍	ジ さむらい	亻	にんべん	侍従《じじゅう》・侍医《じい》 侍所《さむらいどころ》
13	慈	ジ (いつくしむ)	心	こころ	慈愛《じあい》・慈母《じぼ》 慈善《じぜん》・慈悲《じひ》
12	軸	ジク	車	くるまへん	軸受《じくう》け・主軸《しゅじく》 掛《か》け軸《じく》・基軸《きじく》
10	疾	シツ	疒	やまいだれ	疾走《しっそう》・疾風《しっぷう》 疾患《しっかん》・悪疾《あくしつ》
12	湿	シツ しめる しめす	氵	さんずい	湿原《しつげん》・湿気《しっけ》 湿《しめ》った空気《くうき》
11	赦	シャ	赤	あか	赦免《しゃめん》・恩赦《おんしゃ》 大赦《たいしゃ》・容赦《ようしゃ》
8	邪	ジャ	阝	おおざと	邪道《じゃどう》・邪悪《じゃあく》 邪魔《じゃま》・(風邪《かぜ》)
10	殊	シュ こと	歹	かばねへん いちたへん がつへん	特殊《とくしゅ》・殊勝《しゅしょう》 殊更《ことさら》
7	寿	ジュ ことぶき	寸	すん	寿命《じゅみょう》・喜寿《きじゅ》 新年《しんねん》の寿《ことぶき》
15	潤	ジュン うるおう うるおす うるむ	氵	さんずい	潤滑《じゅんかつ》・潤沢《じゅんたく》 生活《せいかつ》が潤《うるお》う
15	遵	ジュン	辶	しんにょう しんにゅう	遵法《じゅんぽう》 遵守《じゅんしゅ》
6	如	ジョ (ニョ)	女	おんなへん	如才《じょさい》・欠如《けつじょ》 面目躍如《めんもくやくじょ》
10	徐	ジョ	彳	ぎょうにんべん	徐行《じょこう》 徐徐《じょじょ》

画数	漢字	読み	部首	部首名	用例
6	匠	ショウ	匚	はこがまえ	名匠《めいしょう》・巨匠《きょしょう》 師匠《ししょう》・意匠《いしょう》
8	昇	ショウ のぼる	日	ひ	昇格《しょうかく》・日昇《にっしょう》 日《ひ》が昇《のぼ》る
12	掌	ショウ	手	て	掌中《しょうちゅう》・掌握《しょうあく》 車掌《しゃしょう》・合掌《がっしょう》
12	晶	ショウ	日	ひ	結晶《けっしょう》 水晶《すいしょう》
12	焦	ショウ こげる こがす こがれる (あせる)	灬	れんが れっか	焦点《しょうてん》・焦慮《しょうりょ》 胸《むね》を焦《こ》がす
15	衝	ショウ	行	ぎょうがまえ ゆきがまえ	衝突《しょうとつ》・衝撃《しょうげき》 要衝《ようしょう》・緩衝《かんしょう》
20	鐘	ショウ かね	金	かねへん	半鐘《はんしょう》・晩鐘《ばんしょう》 早鐘《はやがね》
4	冗	ジョウ	冖	わかんむり	冗談《じょうだん》・冗長《じょうちょう》 冗費《じょうひ》・冗漫《じょうまん》
16	嬢	ジョウ	女	おんなへん	愛嬢《あいじょう》・令嬢《れいじょう》 案内嬢《あんないじょう》
16	錠	ジョウ	金	かねへん	錠前《じょうまえ》・錠剤《じょうざい》 手錠《てじょう》
20	譲	ジョウ ゆずる	言	ごんべん	譲渡《じょうと》・委譲《いじょう》 席《せき》を譲《ゆず》る
15	嘱	ショク	口	くちへん	嘱託《しょくたく》・嘱望《しょくぼう》 嘱目《しょくもく》・委嘱《いしょく》
10	辱	ジョク (はずかしめる)	辰	しんのたつ	屈辱《くつじょく》・雪辱《せつじょく》 汚辱《おじょく》・恥辱《ちじょく》
7	伸	シン のびる のばす のべる	亻	にんべん	伸縮《しんしゅく》・追伸《ついしん》 伸《の》び上《あ》がる
7	辛	シン からい	辛	からい	辛苦《しんく》・辛勝《しんしょう》 塩辛《しおから》い
15	審	シン	宀	うかんむり	審査《しんさ》・審議《しんぎ》 審美眼《しんびがん》・再審《さいしん》
ス					
8	炊	スイ たく	火	ひへん	炊事《すいじ》・自炊《じすい》 飯《めし》を炊《た》く
10	粋	スイ いき	米	こめへん	粋狂《すいきょう》・純粋《じゅんすい》 粋《いき》な言葉《ことば》
10	衰	スイ おとろえる	衣	ころも	衰弱《すいじゃく》・衰退《すいたい》 体力《たいりょく》が衰《おとろ》える
11	酔	スイ よう	酉	とりへん	酔客《すいきゃく》・心酔《しんすい》 車酔《くるまよ》い・船酔《ふなよ》い
12	遂	スイ とげる	辶	しんにょう しんにゅう	遂行《すいこう》・未遂《みすい》 目的《もくてき》を遂《と》げる
15	穂	(スイ) ほ	禾	のぎへん	稲穂《いなほ》 落穂《おちぼ》
12	随	ズイ	阝	こざとへん	随時《ずいじ》・随行《ずいこう》 付随《ふずい》・追随《ついずい》
19	髄	ズイ	骨	ほねへん	真髄《しんずい》・心髄《しんずい》 骨髄《こつずい》・精髄《せいずい》
セ					
19	瀬	せ	氵	さんずい	瀬戸物《せともの》 浅瀬《あさせ》・早瀬《はやせ》
9	牲	セイ	牛	うしへん	犠牲《ぎせい》
12	婿	(セイ) むこ	女	おんなへん	婿養子《むこようし》 花婿《はなむこ》・娘婿《むすめむこ》
15	請	セイ (シン) (こう) うける	言	ごんべん	請求《せいきゅう》・要請《ようせい》 下請《したう》け
5	斥	セキ	斤	きん	斥候《せっこう》 排斥《はいせき》
10	隻	セキ	隹	ふるとり	一隻《いっせき》・数隻《すうせき》 片言隻句《へんげんせきく》

11	惜	セキ おしい おしむ	忄	りっしんべん	惜別《せきべつ》・愛惜《あいせき》 別《わか》れを惜《お》しむ
20	籍	セキ	⺮	たけかんむり	書籍《しょせき》・国籍《こくせき》 入籍《にゅうせき》・除籍《じょせき》
13	摂	セツ	扌	てへん	摂理《せつり》・摂氏《せっし》 摂取《せっしゅ》・摂生《せっせい》
15	潜	セン ひそむ もぐる	氵	さんずい	潜水《せんすい》・潜《ひそ》む 海《うみ》に潜《もぐ》る
18	繕	ゼン つくろう	糸	いとへん	修繕《しゅうぜん》・営繕《えいぜん》 身繕《みづくろ》い
8 ソ	阻	ソ (はばむ)	阝	こざとへん	阻止《そし》 阻害《そがい》
11	措	ソ	扌	てへん	措置《そち》 挙措《きょそ》
11	粗	ソ あらい	米	こめへん	粗品《そしな》・粗野《そや》 目《め》が粗《あら》い
18	礎	ソ (いしずえ)	石	いしへん	礎石《そせき》・定礎《ていそ》 基礎《きそ》
4	双	ソウ ふた	又	また	双眼鏡《そうがんきょう》・双発《そうはつ》 双子《ふたご》
10	桑	(ソウ) くわ	木	き	桑畑《くわばたけ》
11	掃	ソウ はく	扌	てへん	掃除《そうじ》・一掃《いっそう》 落《お》ち葉《ば》を掃《は》く
12	葬	ソウ (ほうむる)	艹	くさかんむり	葬式《そうしき》・葬儀《そうぎ》 社葬《しゃそう》・密葬《みっそう》
14	遭	ソウ あう	辶	しんにょう しんにゅう	遭遇《そうぐう》・遭難《そうなん》 災難《さいなん》に遭《あ》う
14	憎	ゾウ にくむ にくい にくらしい にくしみ	忄	りっしんべん	憎悪《ぞうお》・愛憎《あいぞう》 憎《にく》まれ口《ぐち》
9	促	ソク うながす	亻	にんべん	促進《そくしん》・促音《そくおん》 決意《けつい》を促《うなが》す
13	賊	ゾク	貝	かいへん	賊軍《ぞくぐん》・盗賊《とうぞく》 山賊《さんぞく》・海賊《かいぞく》
9 タ	怠	タイ おこたる なまける	心	こころ	怠慢《たいまん》・怠《なま》ける 注意《ちゅうい》を怠《おこた》る
9	胎	タイ	月	にくづき	胎児《たいじ》・胎動《たいどう》 受胎《じゅたい》・母胎《ぼたい》
11	袋	(タイ) ふくろ	衣	ころも	袋小路《ふくろこうじ》・手袋《てぶくろ》 胃袋《いぶくろ》・(足袋《たび》)
11	逮	タイ	辶	しんにょう しんにゅう	逮捕《たいほ》
13	滞	タイ とどこおる	氵	さんずい	滞在《たいざい》・滞空《たいくう》 仕事《しごと》が滞《とどこお》る
13	滝	たき	氵	さんずい	滝口《たきぐち》・滝川《たきがわ》 滝《たき》つぼ
7	択	タク	扌	てへん	選択《せんたく》・採択《さいたく》 二者択一《にしゃたくいつ》
8	卓	タク	十	じゅう	卓球《たっきゅう》・円卓《えんたく》 高論卓説《こうろんたくせつ》
10	託	タク	言	ごんべん	託児所《たくじしょ》・委託《いたく》 供託《きょうたく》
15	諾	ダク	言	ごんべん	諾否《だくひ》・快諾《かいだく》 受諾《じゅだく》・承諾《しょうだく》
14	奪	ダツ うばう	大	だい	奪回《だっかい》・奪取《だっしゅ》 奪《うば》い返《かえ》す
9	胆	タン	月	にくづき	胆石《たんせき》・落胆《らくたん》 大胆《だいたん》・肝胆《かんたん》
17	鍛	タン きたえる	金	かねへん	鍛錬《たんれん》・鍛造《たんぞう》 体《からだ》を鍛《きた》える

見出し	画数	漢字	読み	部首	部首名	用例
	16	壇	ダン (タン)	土	つちへん	壇上《だんじょう》・教壇《きょうだん》 祭壇《さいだん》・文壇《ぶんだん》
チ	13	稚	チ	禾	のぎへん	稚気《ちき》・稚魚《ちぎょ》 幼稚《ようち》
	10	畜	チク	田	た	畜産《ちくさん》・畜生《ちくしょう》 家畜《かちく》・人畜《じんちく》
	11	窒	チツ	穴	あなかんむり	窒素《ちっそ》 窒息《ちっそく》
	8	抽	チュウ	扌	てへん	抽選《ちゅうせん》・抽出《ちゅうしゅつ》 抽象《ちゅうしょう》
	15	鋳	チュウ いる	金	かねへん	鋳造《ちゅうぞう》 鋳型《いがた》・鋳物《いもの》
	15	駐	チュウ	馬	うまへん	駐在《ちゅうざい》・駐車《ちゅうしゃ》 駐留《ちゅうりゅう》・進駐《しんちゅう》
	11	彫	チョウ ほる	彡	さんづくり	彫刻《ちょうこく》・彫金《ちょうきん》 彫《ほ》り物《もの》
	12	超	チョウ こえる こす	走	そうにょう	超過《ちょうか》・超特急《ちょうとっきゅう》 時代《じだい》を超《こ》える
	17	聴	チョウ きく	耳	みみへん	聴衆《ちょうしゅう》・聴覚《ちょうかく》 講義《こうぎ》を聴《き》く
	11	陳	チン	阝	こざとへん	陳情《ちんじょう》・陳列《ちんれつ》 新陳代謝《しんちんたいしゃ》
	18	鎮	チン (しずめる) (しずまる)	金	かねへん	鎮静《ちんせい》・鎮火《ちんか》 重鎮《じゅうちん》
ツ	15	墜	ツイ	土	つち	墜落《ついらく》・墜死《ついし》 失墜《しっつい》・撃墜《げきつい》
テ	9	帝	テイ	巾	はば	帝王《ていおう》・帝国《ていこく》 大帝《たいてい》・皇帝《こうてい》
	9	訂	テイ	言	ごんべん	訂正《ていせい》・改訂《かいてい》 増訂《ぞうてい》
	15	締	テイ しまる しめる	糸	いとへん	締結《ていけつ》・締約《ていやく》 締《し》め切《き》り
	10	哲	テツ	口	くち	哲学《てつがく》・哲人《てつじん》 明哲《めいてつ》・先哲《せんてつ》
ト	4	斗	ト	斗	とます	斗酒《としゅ》・北斗《ほくと》 漏斗《ろうと》
	13	塗	ト ぬる	土	つち	塗装《とそう》・塗料《とりょう》 塗《ぬ》り絵《え》
	10	凍	トウ こおる こごえる	冫	にすい	凍傷《とうしょう》・冷凍《れいとう》 凍《こお》る・凍《こご》える
	11	陶	トウ	阝	こざとへん	陶器《とうき》・陶芸《とうげい》 陶土《とうど》・陶酔《とうすい》
	12	痘	トウ	疒	やまいだれ	種痘《しゅとう》・水痘《すいとう》 天然痘《てんねんとう》
	10	匿	トク	匚	かくしがまえ	匿名《とくめい》 隠匿《いんとく》
	16	篤	トク	⺮	たけかんむり	篤実《とくじつ》・篤志《とくし》 篤農《とくのう》・危篤《きとく》
	11	豚	トン ぶた	豕	ぶた いのこ	豚舎《とんしゃ》・養豚《ようとん》 豚小屋《ぶたごや》
ニ	7	尿	ニョウ	尸	かばね しかばね	尿道《にょうどう》 尿意《にょうい》
ネ	11	粘	ネン ねばる	米	こめへん	粘土《ねんど》・粘液《ねんえき》 粘《ねば》り気《け》
ハ	11	婆	バ	女	おんな	老婆《ろうば》・産婆《さんば》 お転婆《てんば》
	11	排	ハイ	扌	てへん	排水《はいすい》・排気《はいき》 排出《はいしゅつ》・排他《はいた》
	11	陪	バイ	阝	こざとへん	陪席《ばいせき》・陪食《ばいしょく》 陪審員《ばいしんいん》

画数	漢字	読み	部首	部首名	用例
16	縛	バク しばる	糸	いとへん	束縛《そくばく》・自縛《じばく》 ひもで縛《しば》る
6	伐	バツ	亻	にんべん	伐採《ばっさい》・殺伐《さつばつ》 征伐《せいばつ》
6	帆	ハン ほ	巾	はばへん きんべん	帆船《はんせん》・帆走《はんそう》 帆柱《ほばしら》・帆立貝《ほたてがい》
7	伴	ハン バン ともなう	亻	にんべん	同伴《どうはん》・伴奏《ばんそう》 危険《きけん》が伴《ともな》う
10	畔	ハン	田	たへん	湖畔《こはん》 河畔《かはん》
18	藩	ハン	艹	くさかんむり	藩主《はんしゅ》・藩士《はんし》 藩学《はんがく》
12	蛮	バン	虫	むし	蛮行《ばんこう》・蛮声《ばんせい》 野蛮《やばん》・南蛮《なんばん》
9 ヒ	卑	ヒ (いやしい) (いやしむ) (いやしめる)	十	じゅう	卑屈《ひくつ》・卑下《ひげ》 卑俗《ひぞく》・野卑《やひ》
14	碑	ヒ	石	いしへん	石碑《せきひ》・歌碑《かひ》 墓碑《ぼひ》・記念碑《きねんひ》
8	泌	ヒツ (ヒ)	氵	さんずい	分泌《ぶんぴつ(ぶんぴ)》

画数	漢字	読み	部首	部首名	用例
10	姫	ひめ	女	おんなへん	姫君《ひめぎみ》・歌姫《うたひめ》 舞姫《まいひめ》
14	漂	ヒョウ ただよう	氵	さんずい	漂白《ひょうはく》・漂着《ひょうちゃく》 波《なみ》に漂《ただよ》う
8	苗	(ビョウ) なえ なわ	艹	くさかんむり	苗木《なえぎ》・(早苗《さなえ》) 苗代《なわしろ(なえしろ)》
9 フ	赴	フ おもむく	走	そうにょう	赴任《ふにん》 快方《かいほう》に赴《おもむ》く
11	符	フ	⺮	たけかんむり	符号《ふごう》・符合《ふごう》 切符《きっぷ》・音符《おんぷ》
9	封	フウ ホウ	寸	すん	封書《ふうしょ》・封鎖《ふうさ》 開封《かいふう》・封建《ほうけん》
6	伏	フク ふせる ふす	亻	にんべん	伏線《ふくせん》・起伏《きふく》 顔《かお》を伏《ふ》せる
18	覆	フク おおう (くつがえす) (くつがえる)	襾	おおいかんむり	覆面《ふくめん》・転覆《てんぷく》 目《め》を覆《おお》う
10	紛	フン まぎれる まぎらす まぎらわす まぎらわしい	糸	いとへん	紛失《ふんしつ》・内紛《ないふん》 悔《くや》し紛《まぎ》れ
15	墳	フン	土	つちへん	墳墓《ふんぼ》・古墳《こふん》 前方後円墳《ぜんぽうこうえんふん》

画数	漢字	読み	部首	部首名	用例
18 ヘ	癖	ヘキ くせ	疒	やまいだれ	性癖《せいへき》・悪癖《あくへき》 口癖《くちぐせ》・難癖《なんくせ》
12 ホ	募	ボ つのる	力	ちから	募集《ぼしゅう》・応募《おうぼ》 作品《さくひん》を募《つの》る
14	慕	ボ したう	小	したごころ	慕情《ぼじょう》・思慕《しぼ》 母《はは》を慕《した》う
19	簿	ボ	⺮	たけかんむり	簿記《ぼき》・帳簿《ちょうぼ》 名簿《めいぼ》・家計簿《かけいぼ》
7	芳	ホウ (かんばしい)	艹	くさかんむり	芳香《ほうこう》・芳名《ほうめい》 芳書《ほうしょ》・芳紀《ほうき》
7	邦	ホウ	阝	おおざと	邦人《ほうじん》・邦貨《ほうか》 異邦《いほう》・連邦《れんぽう》
8	奉	ホウ ブ (たてまつる)	大	だい	奉仕《ほうし》・奉公《ほうこう》 奉行《ぶぎょう》
9	胞	ホウ	月	にくづき	胞子《ほうし》・同胞《どうほう》 細胞《さいぼう》
10	倣	ホウ (ならう)	亻	にんべん	模倣《もほう》
11	崩	ホウ くずれる くずす	山	やま	崩壊《ほうかい》・崩《くず》れる (雪崩《なだれ》)

	13	飽	ホウ あきる あかす	食	しょくへん	飽食《ほうしょく》・飽和《ほうわ》 食《た》べ飽《あ》きる
	16	縫	ホウ ぬう	糸	いとへん	裁縫《さいほう》・縫合《ほうごう》 縫《ぬ》い付《つ》ける
	4	乏	ボウ とぼしい	ノ	のはらいぼう	貧乏《びんぼう》・欠乏《けつぼう》 乏《とぼ》しい予算《よさん》
	7	妨	ボウ さまたげる	女	おんなへん	妨害《ぼうがい》 仕事《しごと》の妨《さまた》げ
	8	房	ボウ ふさ	戸	とだれ とかんむり	暖房《だんぼう》・工房《こうぼう》 ぶどうの房《ふさ》
	9	某	ボウ	木	き	某日《ぼうじつ》・某氏《ぼうし》 某国《ぼうこく》・某所《ぼうしょ》
	16	膨	ボウ ふくらむ ふくれる	月	にくづき	膨張《ぼうちょう》・膨大《ぼうだい》 予算《よさん》が膨《ふく》らむ
	16	謀	ボウ (ム) (はかる)	言	ごんべん	謀略《ぼうりゃく》・謀議《ぼうぎ》 無謀《むぼう》・共謀《きょうぼう》
	14	墨	ボク すみ	土	つち	墨汁《ぼくじゅう》・墨守《ぼくしゅ》 墨絵《すみえ》・墨染《すみぞ》め
	7	没	ボツ	氵	さんずい	没入《ぼつにゅう》・没収《ぼっしゅう》 没頭《ぼっとう》・沈没《ちんぼつ》
	18	翻	ホン (ひるがえる) (ひるがえす)	羽	はね	翻案《ほんあん》・翻意《ほんい》 翻訳《ほんやく》
マ	21	魔	マ	鬼	おに	魔法《まほう》・魔術《まじゅつ》 病魔《びょうま》・悪魔《あくま》
	10	埋	マイ うめる うまる うもれる	土	つちへん	埋設《まいせつ》・埋没《まいぼつ》 穴埋《あなう》め
	14	膜	マク	月	にくづき	鼓膜《こまく》・角膜《かくまく》 被膜《ひまく》
	2	又	また	又	また	又聞《またぎ》き 又貸《またが》し
ミ	15	魅	ミ	鬼	きにょう	魅力《みりょく》・魅了《みりょう》 魅惑《みわく》
メ	13	滅	メツ ほろびる ほろぼす	氵	さんずい	滅亡《めつぼう》・滅多《めった》 国《くに》が滅《ほろ》びる
	8	免	メン (まぬかれる)	儿	ひとあし にんにょう	免許《めんきょ》・免職《めんしょく》 免除《めんじょ》・免税《めんぜい》
ユ	9	幽	ユウ	幺	よう いとがしら	幽界《ゆうかい》・幽谷《ゆうこく》 幽玄《ゆうげん》・幽霊《ゆうれい》
	14	誘	ユウ さそう	言	ごんべん	誘導《ゆうどう》・誘発《ゆうはつ》 涙《なみだ》を誘《さそ》う
	15	憂	ユウ うれえる うれい (うい)	心	こころ	憂国《ゆうこく》・憂慮《ゆうりょ》 後顧《こうこ》の憂《うれ》い
ヨ	12	揚	ヨウ あげる あがる	扌	てへん	発揚《はつよう》・高揚《こうよう》 揚《あ》げ物《もの》
	12	揺	ヨウ・ゆれる ゆる・ゆらぐ ゆるぐ・ゆする ゆさぶる ゆすぶる	扌	てへん	動揺《どうよう》・揺《ゆ》りかご 心《こころ》が揺《ゆ》れる
	16	擁	ヨウ	扌	てへん	擁護《ようご》・擁立《ようりつ》 抱擁《ほうよう》
	7	抑	ヨク おさえる	扌	てへん	抑制《よくせい》・抑留《よくりゅう》 出費《しゅっぴ》を抑《おさ》える
ラ	13	裸	ラ はだか	衤	ころもへん	裸体《らたい》・裸身《らしん》 丸裸《まるはだか》
	18	濫	ラン	氵	さんずい	濫用《らんよう》・濫発《らんぱつ》 濫造《らんぞう》・濫費《らんぴ》
リ	6	吏	リ	口	くち	官吏《かんり》・能吏《のうり》 吏員《りいん》
	11	隆	リュウ	阝	こざとへん	隆盛《りゅうせい》・隆起《りゅうき》 隆隆《りゅうりゅう》・興隆《こうりゅう》
	2	了	リョウ	亅	はねぼう	了解《りょうかい》・了見《りょうけん》 終了《しゅうりょう》・完了《かんりょう》

画数	漢字	読み	部首	部首名	用例
11	猟	リョウ	犭	けものへん	猟師《りょうし》・猟銃《りょうじゅう》 狩猟《しゅりょう》・禁猟《きんりょう》
11	陵	リョウ (みささぎ)	阝	こざとへん	陵墓《りょうぼ》・御陵《ごりょう》 丘陵《きゅうりょう》
18	糧	リョウ (ロウ) (かて)	米	こめへん	糧食《りょうしょく》 食糧《しょくりょう》
9	厘	リン	厂	がんだれ	厘毛《りんもう》・一厘《いちりん》 九分九厘《くぶくりん》
レ 7	励	レイ はげむ はげます	力	ちから	励行《れいこう》・勉励《べんれい》 仕事《しごと》に励《はげ》む
13	零	レイ	雨	あめかんむり	零下《れいか》・零点《れいてん》 零細《れいさい》・零落《れいらく》
15	霊	レイ (リョウ) (たま)	雨	あめかんむり	霊気《れいき》・霊魂《れいこん》 霊峰《れいほう》・英霊《えいれい》
12	裂	レツ さく さける	衣	ころも	裂傷《れっしょう》・決裂《けつれつ》 布《ぬの》を裂《さ》く
13	廉	レン	广	まだれ	廉価《れんか》・廉売《れんばい》 清廉《せいれん》・低廉《ていれん》
16	錬	レン	金	かねへん	錬金術《れんきんじゅつ》 鍛錬《たんれん》・精錬《せいれん》
ロ 8	炉	ロ	火	ひへん	炉端《ろばた》・溶鉱炉《ようこうろ》 夏炉冬扇《かろとうせん》
10	浪	ロウ	氵	さんずい	浪費《ろうひ》・浪人《ろうにん》 浮浪者《ふろうしゃ》
12	廊	ロウ	广	まだれ	廊下《ろうか》・画廊《がろう》 回廊《かいろう》・歩廊《ほろう》
13	楼	ロウ	木	きへん	楼門《ろうもん》・楼上《ろうじょう》 高楼《こうろう》・鐘楼《しょうろう》
14	漏	ロウ もる もれる もらす	氵	さんずい	漏水《ろうすい》・漏電《ろうでん》 雨《あめ》が漏《も》る
ワ 12	湾	ワン	氵	さんずい	湾内《わんない》・湾岸《わんがん》 湾口《わんこう》・港湾《こうわん》

計	二八四字
4級までの合計	一、三三九字
累《るい》計《けい》	一、六二三字

3級に出る熟字訓・当て字

小豆《あずき》　意気地《いくじ》　田舎《いなか》　海原《うなばら》　乳母《うば》　浮《うわ》つく　笑顔《えがお》　乙女《おとめ》　お巡《まわ》りさん　風邪《かぜ》　仮名《かな》　為替《かわせ》　心地《ここち》（「居心地《いごこち》」として使用可）　早乙女《さおとめ》　差《さ》し支《つか》える

五月《さつき》　早苗《さなえ》　五月雨《さみだれ》　時雨《しぐれ》　竹刀《しない》　老舗《しにせ》　芝生《しばふ》　三味線《しゃみせん》　砂利《じゃり》　白髪《しらが》　太刀《たち》　立《た》ち退《の》く　足袋《たび》　梅雨《つゆ》　名残《なごり》

雪崩《なだれ》　二十《はたち》　二十歳《はたち》　波止場《はとば》　日和《ひより》　吹雪《ふぶき》　土産《みやげ》　息子《むすこ》　紅葉《もみじ》　木綿《もめん》　最寄《もよ》り　大和《やまと》　行方《ゆくえ》　若人《わこうど》

部首で出題される下級の漢字

3級試験の部首の問題への出題が予想される4級以下の漢字です。漢字の下が部首。

可	奥	央	衛	員	壱	為	威	以	案	愛
口	大	大	行	口	士	灬	女	人	木	心
甘	楽	街	皆	界	戒	介	雅	画	我	何
甘	木	行	白	田	戈	𠆢	隹	田	戈	亻
疑	義	輝	器	貴	幾	基	奇	希	幹	乾
疋	羊	車	口	貝	幺	土	大	巾	干	乙
句	禁	業	響	競	巨	求	旧	丘	及	久
口	示	木	音	立	工	水	日	一	又	ノ
玄	元	堅	兼	券	警	景	系	軍	君	具
玄	儿	土	八	刀	言	日	糸	車	口	八

困	穀	豪	興	皇	幸	更	后	互	五	鼓	固	厳	原
囗	禾	豕	臼	白	干	曰	口	二	二	鼓	囗	⺍	厂
支	四	産	参	冊	罪	在	載	歳	裁	最	祭	再	差
支	囗	生	厶	冂	罒	土	車	止	衣	曰	示	冂	工
尺	者	執	辞	児	次	雌	歯	紫	視	姿	死	司	市
尸	耂	土	辛	儿	欠	隹	歯	糸	見	女	歹	口	巾
盾	巡	旬	術	熟	重	衆	周	秀	州	受	酒	朱	釈
目	巛	日	行	灬	里	血	口	禾	川	又	酉	木	釆
丈	照	象	勝	商	章	将	承	署	書	所	初	処	準
一	灬	豕	力	口	立	寸	手	罒	曰	戸	刀	几	氵

盛	省	成	世	井	是	垂	尋	新	真	申	畳	常	乗
皿	目	戈	一	二	日	土	寸	斤	目	田	田	巾	ノ
窓	奏	争	善	然	前	戦	泉	宣	占	席	整	静	聖
穴	大	亅	口	灬	刂	戈	水	宀	卜	巾	攵	青	耳
恥	男	炭	丹	題	台	替	帯	耐	尊	存	率	卒	束
心	田	火	丶	頁	口	曰	巾	而	寸	子	玄	十	木
倒	東	冬	怒	努	底	弟	賃	直	兆	昼	着	置	致
亻	木	冫	心	力	广	弓	貝	目	儿	日	羊	罒	至
髪	博	買	売	年	熱	乳	弐	南	毒	堂	同	登	唐
髟	十	貝	士	干	灬	乚	弋	十	毋	土	口	癶	口
兵	分	奮	舞	武	負	票	表	必	匹	美	番	半	罰
八	刀	大	舛	止	貝	示	衣	心	匸	羊	田	十	罒
民	密	凡	暴	望	亡	報	墓	舗	勉	弁	変	壁	並
氏	宀	几	日	月	亠	土	土	舌	力	廾	夂	土	一
誉	与	雄	勇	有	由	夜	黙	鳴	命	夢	無	務	矛
言	一	隹	力	月	田	夕	黒	鳥	口	夕	灬	力	矛
隷	令	臨	療	量	良	両	慮	離	裏	卵	乱	翼	養
隶	人	臣	疒	里	艮	一	心	隹	衣	卩	乚	羽	食
					惑	六	労	老	烈	劣	歴	麗	齢
					心	八	力	耂	灬	力	止	鹿	歯

チカラがつく資料

学習漢字で中学校で習う読み（要注意）

◀漢字
◀読み　カタカナは音、ひらがなは訓、赤文字は送りがな。
◀用例

漢字	読み	用例
衣	ころも	衣替え・羽衣《はごろも》
遺	ユイ	遺言
羽	ウ	羽毛・羽化
映	はえる	夕日に映える
媛	エン	才媛
園	その	学びの園
音	イン	福音・母音
下	もと	親の下・旗の下
化	ケ	化身・道化師
仮	ケ	仮病
何	カ	幾何
夏	ゲ	夏至
荷	カ	出荷・荷担
我	ガ わ	我流 我が国
灰	カイ	石灰・灰白色

漢字	読み	用例
外	ゲ	外科・外題
街	カイ	街道・繁華街《はんかがい》
革	かわ	なめし革《がわ》
割	カツ さく	分割 魚を割く
干	ひる	干物・干菓子
眼	まなこ	ねぼけ眼
危	あやうい あやぶむ	危うい目にあう 完成を危ぶむ
机	キ	机上・机下
岐	キ	岐路
基	もと	法律に基づく
貴	たっとい・たっとぶ とうとい・とうとぶ	真理を貴ぶ 貴い人命
器	うつわ	ガラスの器
機	はた	機織り
技	わざ	寝技・立ち技
客	カク	刺客
弓	キュウ	弓道・洋弓

漢字	読み	用例
究	きわめる	真理を究める
泣	キュウ	号泣・感泣
宮	グウ	神宮・東宮
京	ケイ	京浜・京葉
胸	むな	胸板・胸騒ぎ
強	ゴウ しいる	強情 参加を強いる
郷	ゴウ	近郷・郷に入る
境	ケイ	境内《けいだい》
競	きそう	のどを競う
業	わざ	軽業師
極	ゴク・きわめる きわまる・きわみ	極意・極秘 感極まる
兄	ケイ	父兄・貴兄
経	キョウ	お経・経典
軽	かろやか	軽やかな足どり
穴	ケツ	墓穴・穴居
結	ゆう ゆわえる	髪を結う ひもで結わえる
研	とぐ	包丁を研ぐ
健	すこやか	健やかに育つ

漢字	読み	用例
厳	おごそか	厳かな儀式
己	キ おのれ	知己 己を知る
故	ゆえ	故ありげに話す
後	おくれる	後れ毛・気後れ
公	おおやけ	公の場所
交	かう かわす	行き交う 言葉を交わす
幸	さち	山の幸・幸多い
厚	コウ	厚顔・厚志
紅	ク くれない	真紅 紅の海
香	コウ	香水
黄	コウ こ	黄泉 黄金
鋼	はがね	鋼の板
谷	コク	渓谷《けいこく》・幽谷《ゆうこく》
今	キン	今上
砂	シャ	土砂
座	すわる	床に座る
災	わざわい	災いを転じて福
裁	たつ	布を裁つ

漢字	読み	用例
財	サイ	財布
氏	うじ	氏神
姉	シ	姉妹・長姉
試	ためす	力を試す
示	シ	図示・示唆《しさ》
字	あざ	大字・小字
耳	ジ	外耳・耳鼻科
次	シ	次第
児	ニ	小児科
似	ジ	類似・近似
滋	ジ	滋養
辞	やめる	会社を辞める
室	むろ	石室・室咲き
質	シチ	質屋・人質《ひとじち》
謝	あやまる	平謝り
若	ジャク	若年・若干《じゃっかん》
手	た	手繰る・手綱
守	もり	子守り・灯台守り

漢字	読み	用例
授	さずける さずかる	賞を授ける 子どもを授かる
州	す	中州・三角州
宗	ソウ	宗家・宗匠
拾	シュウ ジュウ	拾得 拾円
修	シュ	修行・修羅場《しゅらば》
集	つどう	映画の集い
就	つく つける	職に就く
熟	うれる	実が熟れる
出	スイ	出納《すいとう》
初	そめる	見初める・書初《ぞ》め
女	ニョ め	天女 女神
助	すけ	助太刀《だち》
除	ジ	掃除
承	うけたまわる	ご意見を承る
笑	ショウ えむ	笑止 ほほ笑む
商	あきなう	米を商う
勝	まさる	前回より勝る
焼	ショウ	焼失・燃焼

漢字	読み	用例
傷	いたむ いためる	本が傷む
上	のぼせる のぼす	話題に上せる 議案に上す
蒸	むす・むれる むらす	芋を蒸す
縄	ジョウ	縄文土器
申	シン	申告・答申
神	かん	神主
仁	ニ	仁王立ち
図	はかる	解決を図る
推	おす	委員に推す
井	ショウ	天井
生	おう き	生い立ち 生糸
声	こわ	声色・声高
性	ショウ	性根・性分
星	ショウ	明けの明星《みょうじょう》
省	かえりみる	行動を省みる
盛	セイ・さかる さかん	盛大 盛り場
誠	まこと	誠の心
静	ジョウ	静脈

漢字	読み	用例
精	ショウ	精進・無精
夕	セキ	今夕《こんせき》・一朝一夕《いっちょういっせき》
石	コク	百万石《ひゃくまんごく》・千石船《せんごくぶね》
昔	シャク	今昔《こんじゃく》
切	サイ	一切
舌	ゼツ	毒舌・舌戦《ぜっせん》
川	セン	川柳・河川
浅	セン	浅学・深浅
専	もっぱら	専ら勉学に励む
染	セン	染料・感染
戦	いくさ	女の戦
銭	ぜに	小銭・銭入れ
素	ス	素顔・素手
早	サッ	早速・早急
相	ショウ	首相
装	ショウ	衣装・装束《しょうぞく》
操	あやつる	操り人形
蔵	くら	酒蔵《さかぐら》・穴蔵《あなぐら》

漢字	読み	用例
速	すみやか	速やかに歩く
率	ソツ	率先・率直
損	そこなう そこねる	健康を損なう 機嫌を損ねる
体	テイ	体裁・風体
対	ツイ	一対・対句
貸	タイ	賃貸・貸与
代	しろ	苗代《なわしろ》・代物
探	さぐる	動きを探る
断	たつ	酒を断つ
値	あたい	一見に値する
茶	サ	茶房・茶飯事
仲	チュウ	仲介・伯仲
著	あらわす いちじるしい	書物を著す 成長著しい
丁	テイ	園丁・丁重
調	ととのう ととのえる	準備が調う 味を調える
弟	テイ・デ	師弟・弟子
提	さげる	かばんを提げる
程	ほど	程なく・身の程

漢字	読み	用例
敵	かたき	敵役・恋敵《こいがたき》
度	タク たび	支度 この度
討	うつ	討ち入り
頭	かしら	頭文字・出世頭《しゅっせがしら》
童	わらべ	童歌
得	うる	知識を得る
内	ダイ	参内・境内《けいだい》
乳	ち	乳房・乳首
認	ニン	認識・認定
納	ナッ トウ	納得・出納《すいとう》
背	そむく そむける	法律に背く 目を背ける
麦	バク	麦芽・麦秋
発	ホッ	発端・発作《ほっさ》
反	タン	反物・減反
犯	おかす	罪を犯す
阪	ハン	阪神
秘	ひめる	内に秘める
費	ついやす ついえる	年月を費やす 時間が費える

漢字	読み	用例
鼻	ビ	鼻炎・鼻音
病	やむ	肺を病む
貧	ヒン	貧苦・貧血
夫	フウ	夫婦・工夫
文	ふみ	恋文《こいぶみ》・文の道
並	ヘイ	並行・並立
閉	とざす	心を閉ざす
片	ヘン	紙片・破片
歩	ブ	歩合・日歩《ひぶ》
暮	ボ	暮色・歳暮
訪	おとずれる	春が訪れる
報	むくいる	恩に報いる
忘	ボウ	忘我・忘年会
望	モウ	所望・本望
暴	バク	暴露
牧	まき	牧場
妹	マイ	姉妹・義妹
万	バン	万民・万歳

漢字	読み	用例
民	たみ	一億の民
命	ミョウ	寿命
迷	メイ	迷路・迷信
面	おも おもて	面影 細面
目	ボク	面目
門	かど	門出・門松
役	エキ	役務・使役
有	ウ	有無・有頂天
優	やさしい すぐれる	優しい人 優れた学者
要	いる	金が要る
欲	ほしい	車が欲しい
来	きたる きたす	来る二十日 支障を来す
卵	ラン	卵黄・卵白
裏	リ	裏面・脳裏
臨	のぞむ	試合に臨む
朗	ほがらか	朗らかな人
和	やわらぐ やわらげる なごむ なごやか	気持ちが和らぐ 痛みを和らげる 心が和む 和やかに話す

3級に出る四字熟語

本書のテストで出題した四字熟語と、その他本試験に出題されそうな四字熟語、計二四二語を収めました。四字熟語は意味といっしょに覚えましょう。

あ

悪事千里《あくじせんり》

とかく悪い行いや評判は、すぐに広範囲に知れわたるということ。

悪口雑言《あっこうぞうごん》

口にまかせていろいろな悪口を言うこと。また、その言葉。

暗雲低迷《あんうんていめい》

前途多難な状態が続くこと。また、雲が低くたれこめ、なかなか晴れそうにないこと。

安心立命《あんじんりつめい》

「安心」は「あんしん」、「立命」は「りゅうめい」「りゅうみょう」とも読む。天命に身をまかせ、心を安らかにして生死利害に対し悩まないこと。

い

衣冠束帯《いかんそくたい》

昔の貴族の礼服。

意気衝天《いきしょうてん》

元気がよく天を衝かんばかりに、勢いがよいこと。意気込み盛んなこと。

意気投合《いきとうごう》

心持ちが互いにぴったりと合い一つになること。

異口同音《いくどうおん》

「異口」は「いこう」とも読む。大勢の人々が口をそろえて同じことを言う。多くの人の意見が一致すること。

以心伝心《いしんでんしん》

考えや思っていることが言葉を使わずに、互いの心から心に伝わること。

一意専心《いちいせんしん》

他に心をうばわれずに、そのことだけに心を向ける。一つのことにのみ心をそそぐこと。類語に「**一心不乱**」がある。

一部始終《いちぶしじゅう》

物事の始めから終わりまで、すべてのこと。

一網打尽《いちもうだじん》

網を一打ちしてその周辺にいる魚を残らずとらえること。転じて、一度に悪党の一味や敵対する者すべてをとらえつくすこと。

一陽来復《いちようらいふく》

冬が終わって春がやってくること。悪いことや苦しい時期が過ぎて、待ちかねた幸運がやっとめぐりくること。

一喜一憂《いっきいちゆう》

状況が変化するたびに喜んだり心配したりすること。

一騎当千《いっきとうせん》

一人の騎兵《きへい》が千人の敵を相手に戦うほど、強い力を持っていること。

一挙両得《いっきょりょうとく》

たった一つのことをするだけで、二つの利益をあげること。「一挙」は一つの動作、一回の仕事。類語に「**一石二鳥**」がある。

一触即発《いっしょくそくはつ》

互いににらみ合って対立している勢力が、ちょっとふれ合うだけで爆発しそうな、非常に切迫している状態。類語に「**危機一髪**」がある。

一朝一夕《いっちょういっせき》

一日か一晩。転じて短いときをいう。

一長一短《いっちょういったん》

良い点もあれば、悪い点もあるさま。

一刀両断《いっとうりょうだん》

一太刀《たち》で物を真っ二つに切ること。ためらわず、すばやく物事を処理したり、解決したりすること。類語に「**一剣両断**」がある。

威風堂堂《いふうどうどう》

重々しくどっしりと威力に満ちているようす。

因果応報《いんがおうほう》

過去における善悪の業に応じて現在における幸不幸の報いを生ずること。

う

有為転変《ういてんぺん》

この世の中は激しく移り変わり、しばらくも一定の状態にないこと。また、この世が無常ではかないことのたとえ。「転変」は「てんべん」とも読む。類語に「**諸行《しょぎょう》無常**」がある。

雲散霧消《うんさんむしょう》

雲や霧が風や太陽の光にあたって消え失せるように、物事が一時に消えてなくなること。あとかたもなくなること。

え

栄枯盛衰《えいこせいすい》
人や家が栄えたり衰えたりすること。類語に「**栄枯浮沈**」がある。

円転滑脱《えんてんかつだつ》
なめらかで、よく変化して自由自在なこと。物事をすらすらと運び、とどこおらせないこと。

お

屋上架屋《おくじょうかおく》
屋根の上にさらに屋根を架《か》ける意で、むだなことを繰り返したり、独創性のないことのたとえ。

温厚篤実《おんこうとくじつ》
短気を起こさず、いつも心が安定しており、誠実で信頼するにたる人柄。

温故知新《おんこちしん》
古いものをたずね求めて新たな事柄の意味を知ること。「温」はたずね求める。「故《ふる》きを温《たず》ねて新しきを知る」とも読む。

音吐朗朗《おんとろうろう》
声などが豊かでさわやかなこと。

か

下意上達《かいじょうたつ》
下位の者の意見が上位の者に達すること。「下意」は一般人民の考え、「上達」は上の者に届く。

怪力乱神《かいりきらんしん》
人間の知恵では理解できない超《ちょう》自然的な現象や暴力、人身を乱す事柄。

佳人薄命《かじんはくめい》
美人には不幸な者や短命な者が多いということ。「佳人」は美人。類語に「**美人薄命**」がある。

花鳥風月《かちょうふうげつ》
自然の美しい景色や風流な遊びのこと。

我田引水《がでんいんすい》
自分の田へ水を引くこと。転じて、自分の都合のよいように言ったり、したりすること。

夏炉冬扇《かろとうせん》
夏の火ばちと冬の扇の意で、時節に合わず、役に立たないもの。類語に「**冬扇夏炉**」がある。

感慨無量《かんがいむりょう》
言葉では言い表せないほど、胸いっぱいにしみじみと感じ入ること。

緩急自在《かんきゅうじざい》
速度などをゆるめたり、引き締めたり、思いのままにすること。

眼光紙背《がんこうしはい》
読解力が高いこと。目の光が紙の裏まで貫くかのように書物の真意を鋭くくみとることのたとえ。

換骨奪胎《かんこつだったい》
骨を取り換え、子の宿るところを奪って自分のものにすることから、先人の発想や趣旨を取り入れ、自分なりの語句で表現し、独自の新たな作品を作ること。現在では誤用が慣用化し、内容を少し変えただけの焼き直しの意味に用いられる。

冠婚葬祭《かんこんそうさい》
元服《げんぷく》、婚礼、葬儀《そうぎ》、祖先の祭祀《さいし》（祭り）、の四大礼式のこと。

完全無欠《かんぜんむけつ》
弱点や欠点が、どこにも見当たらない状態や様子。

き

気炎万丈《きえんばんじょう》
大いに意気を上げること。「気炎」は燃え上がるような盛んなさま、「万丈」は非常に高く上がること。

危機一髪《ききいっぱつ》
髪の毛一本ほどのほんのわずかな違いで、非常に危険な状態になりそうな瞬間、状況のこと。

危急存亡《ききゅうそんぼう》
危険が迫っていて、生き残るかほろびるかのせとぎわのこと。

起死回生《きしかいせい》
今にも死にそうな病人を生き返らせること。また、崩壊寸前の状態を救い好転させること。

起承転結《きしょうてんけつ》
漢詩構成法で、特に絶句の句の配列を示す名称。起句で詩意を起こし、承句でその内容を受けて発展させ、転句で趣を変えて別の事柄を述べ、結句で全体をまとめる。

疑心暗鬼《ぎしんあんき》
疑う心があると、なんでもないことまで怪しく感じられるようになること。

奇想天外《きそうてんがい》
普通の人には思いつかないような、きわめて奇抜な考え。

喜怒哀楽《きどあいらく》
喜び、怒り、哀《かな》しみ、

楽しみのこと。

九牛一毛《きゅうぎゅうのいちもう》
とるにたらないささいなこと。「九牛」は九頭の牛、多数の牛。「一毛」は一本の毛。多数の中のごくわずかな一部分の意。

旧態依然《きゅうたいいぜん》
昔からの状態がそのまま続いていて少しも変化、進歩しないさま。類語に「十年一日」がある。

狂喜乱舞《きょうきらんぶ》
非常に喜ぶさま。

驚天動地《きょうてんどうち》
天を驚かし、地を動かす意で、世間を大いに驚かすこと。

金科玉条《きんかぎょくじょう》
金や玉のように大切な法律。一番大切な法律。一番重要な規則。

金城鉄壁《きんじょうてっぺき》
金や鉄で造ったような城壁を持つ堅固な城。転じて物事が非常に堅固であることのたとえとして使われる。

金城湯池《きんじょうとうち》
きわめて守りの固い城と堀。「湯池」は熱湯をたたえた堀の意。転じて、攻めても近寄れない、非常に守りが固いこと。類語に「**金城鉄壁**」「**難攻不落**」がある。

■く

空前絶後《くうぜんぜつご》
過去に比べられる例がなく、将来にもないと思われるほど非常にまれなさま。類語に「**前代未聞**《みもん》」がある。

空中楼閣《くうちゅう(の)ろうかく》
「しんきろう」のこと。転じて、根拠がなく、現実性の乏しい事項や考えのたとえ。類語に「**砂上**《さじょうの》**楼閣**《ろうかく》」がある。

愚者一得《ぐしゃのいっとく》
愚《おろ》かな者でも、たまにはすぐれた知恵をだすことがあるということ。また、自分の意見を述べるのに、けんそんしていう言葉。

群雄割拠《ぐんゆうかっきょ》
多くの英雄が各地で勢力を張り、対立すること。

■け

鯨飲馬食《げいいんばしょく》
鯨《くじら》が海水を吸い込むようにたくさん酒を飲み、馬が草をはむようにたくさん食べるさま。類語に「**牛飲馬食**」「**暴飲暴食**」がある。

鶏口牛後《けいこうぎゅうご》
「鶏口となるも牛後となるなかれ」と同じ。大きなものの後ろにつくよりは、小さなものの頭になるべきだの意。「牛後」は牛のしり。

言行一致《げんこういっち》
言葉と行動が食い違わないこと。「言行」は口で言うことと行うこと。類語に「**有言実行**」がある。

権謀術数《けんぼうじゅっすう》
人をあざむくたくらみやはかりごと。

■こ

行雲流水《こううんりゅうすい》
空を行く雲と流れ行く水。物事にとらわれず自然のままに身をゆだねて生きること。

厚顔無恥《こうがんむち》
あつかましくて恥知らずなさま。

好機到来《こうきとうらい》
ちょうどよい機会がくること。絶好の機会に恵まれること。

巧言令色《こうげんれいしょく》
巧《たく》みな言葉や、顔色をつくろったりすること。転じて、言葉を飾り、口先だけのことをいい、相手にこびへつらうこと。

高材疾足《こうざいしっそく》
すぐれた能力があり、行動力があること。そのような人。「高材」は高い才能、「疾足」は足が速いこと。

好事多魔《こうじたま》
「好事、魔多し」とも読む。良いことがあると、何かと妨げが生じやすいこと。

公序良俗《こうじょりょうぞく》
公共の秩序と、善良な風俗。

高論卓説《こうろんたくせつ》
すぐれた意見、論説のこと。

極悪非道《ごくあくひどう》
道理にそむいたこの上なくひどい悪事を行うこと。

国士無双《こくしむそう》
国中で並ぶ者のないすぐれた人物。「国士」は国内ですぐれた人、「無双」は二つとないの意。

極楽往生《ごくらくおうじょう》
この世を去ってのち、

極楽浄土《じょうど》に生まれ変わること。また、安らかに死ぬこと。

孤軍奮闘《こぐんふんとう》

孤立《こりつ》した中で少人数で必死に戦うこと。

古今無双《ここんむそう》

昔から今に至るまで、他に比するものがないこと。「無双」は他に比べるものがないという意。類語に「天下《てんか》無双」がある。

後生大事《ごしょうだいじ》

心を込めて励み、物を大事に扱うこと。

孤城落日《こじょうらくじつ》

孤立《こりつ》無援の城に沈む夕日がさし込んでいる光景。勢力も傾き、助けもこない心細いさま。

故事来歴《こじらいれき》

昔から伝えられてきた物事についてのいわれや経過の次第。「故事」とは昔から伝わる話や、物事のいわれ。

刻苦勉励《こっくべんれい》

非常に苦労して、勉学や仕事につとめはげむこと。類語に「**刻苦精励**」がある。

孤立無援《こりつむえん》

独りぼっちで、だれも手を差しのべてくれない状態。類語に「**孤軍奮闘**」がある。

五里霧中《ごりむちゅう》

霧が深く方向がつかめないこと。現状がつかめず方針をたてる手がかりがない状態。

言語道断《ごんごどうだん》

あまりのひどさにあきれて言葉も出ない、言葉にならないこと。

■さ

才色兼備《さいしょくけんび》

すぐれた才知を持ち、美ぼうをも兼ね備えている女性。「色」はようす、人間でいう容ぼうのこと。「才色」は「さいしき」とも読む。

砂上楼閣《さじょうのろうかく》

長続きしない物語のたとえ。また、空想するだけで実現不可能な計画。

山紫水明《さんしすいめい》

山が陽光を受けて紫色に映え、流れる川の水は澄んで清らかなこと。

■し

色即是空《しきそくぜくう》

仏教の根本思想の一つで、この世のすべての物には形があるが、形は実在ではなく本質は空である、という意味。

自給自足《じきゅうじそく》

自分に必要な物を、自ら生産し満ち足りるようにすること。

試行錯誤《しこうさくご》

試みと失敗をくりかえしながら適切な方法を見つけること。

事後承諾《じごしょうだく》

承諾を要する事項について、事がすんだあとで、それについての承諾をすること。

自己矛盾《じこむじゅん》

一人の人の言葉や行動が前後でつじつまが合わないこと。言うことと行うことが矛盾していること。

士魂商才《しこんしょうさい》

武士の高潔な精神と商人の計算高さ。実業家や経営者としての心がまえを表す。

事実無根《じじつむこん》

根も葉もないこと。根拠のないでたらめ。

志操堅固《しそうけんご》

正しいと信じる主義や志がしっかりと定まっていて、容易にはくずれないこと。

舌先三寸《したさきさんずん》

口先でうまいことを言って誠実さに欠け、中身がないこと。

四分五裂《しぶんごれつ》

ばらばらに分裂してしまうこと。秩序《ちつじょ》や統一が乱れている様子。

自暴自棄《じぼうじき》

物事に失敗したり、まったく希望が持てないような状態になったときに、自分自身を粗末に扱い、すてばちになること。

弱肉強食《じゃくにくきょうしょく》

弱いものが強いものに食われること。生存競争の激しさをいう。

縦横無尽《じゅうおうむじん》

この上なく自由自在で、思う存分にふるまうこと。類語に「**自由自在**」「**縦横自在**」がある。

重厚長大《じゅうこうちょうだい》

製造物、構造物、人格などが、重々しくて大きいさま。対義語に「**軽薄短小**」がある。

終始《しゅうし》一貫《いっかん》
始めから終わりまで態度や行動が変わらず同じであること。周りの変化に影響されることなく、主義主張を保ち続ける場合に用いる。類語に「**首尾一貫**」がある。

衆人《しゅうじん》環視《かんし》
多くの人が取り巻いて見ていること。物事が白日の下にさらされることについてもいう。

主客《しゅかく》転倒《てんとう》
主人と客が入れ替わることで、重要な事柄と取るに足らない事柄、また人や物事の軽重《けいちょう》などが逆になること。「主客」は「しゆきゃく」とも読む。類語に「**本末転倒**」がある。

熟慮《じゅくりょ》断行《だんこう》
じっくり考えた上で思い切って実行すること。

取捨《しゅしゃ》選択《せんたく》
必要なものを選び、不必要なものを捨てること。

酒池《しゅち》肉林《にくりん》
きわめてぜいたくな酒宴の意。豪遊の限りを尽くすこと。

出処《しゅっしょ》進退《しんたい》
とどまるかいなかの自分の身の振り方。

首尾《しゅび》一貫《いっかん》
始めから終わりまで一つの方針や態度を貫き通すこと。始めと終わりで矛盾しないさま。類語に「**終始一貫**」がある。

順風《じゅんぷう》満帆《まんぱん》
帆に追い風を一杯受けて、船が快調に進むこと。転じて、物事がすべて順調に進むこと。

笑止《しょうし》千万《せんばん》
非常にくだらなくて、ばかばかしいこと。「笑止」はおかしいこと、ばかばかしいこと。「千万」はこの上なくひどいこと。

諸行《しょぎょう》無常《むじょう》
この世のすべては常に移り変わり、生滅《しょうめつ》を繰返して、永久に不変のものはないということ。人生は、はかなく無常であるという仏法の大綱「三法印」の一つ。

職権《しょっけん》濫用《らんよう》
公務員などが職務にことよせて、職務ではない行為を不当に行うこと。「濫用」は「乱用」とも書く。

白河《しらかわ》夜船《よふね》
ぐっすりと眠り込んでしまい、その間の状況がまったくわからないこと。また、知ったかぶりをすること。

支離《しり》滅裂《めつれつ》
すべてばらばらで、まとまりがないこと。乱れてつじつまが合わないこと。類語に「**四《し》分《ぶん》五《ご》裂《れつ》**」「**乱《らん》雑《ざつ》無《む》章《しょう》**」がある。

人海《じんかい》戦術《せんじゅつ》
多数の人員を投じて仕事を完成させること。「人海」は人が多数集まって海のように見えるさま。

心機《しんき》一転《いってん》
あることを契機《けいき》にして、気持ちをすっかり入れ替えて出直すこと。

深山《しんざん》幽谷《ゆうこく》
人里を離れた奥深い山山や、物の形がはっきりしないほど深い谷。

人事《じんじ》不省《ふせい》
病気やけがなどで意識を失う。こん睡状態におちいる。類語に「**前後不覚**」がある。

神出《しんしゅつ》鬼没《きぼつ》
すばやく、自由自在に、現れたり隠れたりすること。所在が容易につかめないさま。

尋常《じんじょう》一様《いちよう》
ごくあたりまえのこと。とおりいっぺん。

信賞《しんしょう》必罰《ひつばつ》
賞罰のけじめを厳正にすること。功労のある者には必ず賞を与え、罪を犯した者は必ず罰する。

針小《しんしょう》棒大《ぼうだい》
針のように小さなことを、棒ほどもあるように大きくいう。

新進《しんしん》気鋭《きえい》
新たに参加したてで非常に意気込み、勢いが盛んなこと。また、その人。

人跡《じんせき》未踏《みとう》
いまだかつて、人が足をふみ入れたことのないこと。

新陳《しんちん》代謝《たいしゃ》
古いものと新しいものが入れ替わること。組織の若返りなどにもいう。

心頭《しんとう》滅却《めっきゃく》
心の中の雑念が消え去り、無念無想の境地に至ること。仏教の教えで「心頭を滅却《めっきゃく》すれば火も自《おの》ずから涼《すず》し」とあり、どんな苦難にあっても、それを超越して心頭にとどめなければ、苦しさを感じないという意。

人品骨柄《じんぴんこつがら》

人柄やふうさい。「人品」は品性、「骨柄」は体つきから受ける風格。

深謀遠慮《しんぼうえんりょ》

はるか先のことまで考えて立てた周到な計略。「深謀」は深いはかりごと、「遠慮」は遠く思いはかること。

人面獣心《じんめんじゅうしん》

人間らしい心を持たない人のこと。顔は人間であるが心は獣の意から、冷酷《れいこく》非情な人。

す

酔生夢死《すいせいむし》

酒に酔い、夢心地で自覚もなく一生を過ごすということで、何もせずにぼんやりと、むだに一生を送ること。類語に「無為徒食」がある。

頭寒足熱《ずかんそくねつ》

頭部を冷やして足を温めること。健康によいとされる。

寸鉄殺人《すんてつさつじん》

短くて鋭いたった一言で、相手の弱点や欠点をつくこと。「寸鉄、人を殺す」とも読む。類語に「頂門《ちょうもん》の一針《いっしん》」がある。

せ

晴耕雨読《せいこううどく》

晴れた日は田畑の仕事をし、雨が降れば家にこもって読書し、気の向くままの生活をすること。

生殺与奪《せいさつよだつ》

生かすも殺すも、奪うも与えるも、思いのままであること。「生殺与奪の権」と用いる。絶対的権力。

青天白日《せいてんはくじつ》

よく晴れた天気のこと。転じて、心のやましいことがなく、また、後ろめたさもなく、潔白であること。類語に「清廉《せいれん》潔白」がある。

清廉潔白《せいれんけっぱく》

心が清く、不正をするような後ろめたいところがないさま。類語に「青天白日」「青雲秋月」がある。

責任転嫁《せきにんてんか》

責任を他人になすりつけること。「転嫁」は二度目の嫁入りの意から転じて、ほかに移すこと。

浅学非才《せんがくひさい》

学識が浅く未熟であること。「非」は「菲」（1級）とも書く。

前後不覚《ぜんごふかく》

物事の後先の判断がつかなくなるほど正気を失うこと。

千載一遇《せんざいいちぐう》

二度とない絶好のチャンス。千年に一度出会えるぐらいのチャンス。「載」は年のこと。

千差万別《せんさばんべつ》

いろいろなものそれぞれに相違や差異があること。「万別」は「まんべつ」とも読む。類語に「多種多様」がある。

千紫万紅《せんしばんこう》

さまざまな色。色彩豊かで、さまざまな花が咲きほこっていること。

前人未到（踏）《ぜんじんみとう》

今までだれも到達していないこと。「未到」は「未踏」とも書くが、この場合は、まだだれも足を踏み入れていないという意になる。

先手必勝《せんてひっしょう》

相手より先に攻撃すれば必ず勝つ。類語に「先制攻撃」がある。

千変万化《せんぺんばんか》

さまざまに変化すること。類語に「変幻《へんげん》自在」がある。

先憂後楽《せんゆうこうらく》

先に心配事・苦痛に思うことをかたづけ、楽しみは後回しにすること。

千慮一失《せんりょのいっしつ》

知者が、どんなに入念に考えたことでも、一つぐらいは失敗や間違いがあるということ。対語に「愚者一得《ぐしゃのいっとく》」がある。

そ

創意工夫《そういくふう》

ものを新たに考え出し、いろいろな手段をめぐらすこと。

造反有理《ぞうはんゆうり》

体制に反逆する側にも必ず道理があること。

速戦即決《そくせんそっけつ》

戦いが長引くことをさけて、勝ち負けを一気にその場で決すること。転じて物事の決着を速やかにつけること。

則天去私《そくてんきょし》

自然の道理に従い、せまく小さな自分を捨てて崇高《すうこう》に生きること。「天に則《のっと》り私《わたくし》を去る」とも読む。

粗製乱造《そせいらんぞう》

質の悪い粗末《そまつ》な品をむやみにたくさん作り出すこと。「乱造」は「濫造」とも書く。

率先垂範《そっせんすいはん》

先頭に立って積極的に行動し模範を示すこと。「率先」は先に立って行動する、「垂範」は手本を示す。

た

大器晩成《たいきばんせい》

大きな器や道具は完成に長い年月がかかる。偉大な人物は、若いころは目立たず、徐々に実力を養い、晩年に大成するということ。

大山鳴動《たいざんめいどう》

一般に「大山鳴動してねずみ一匹」と用い、大きな山が鳴り動くほどの騒動のわりには結果が小さいこと。

大所高所《たいしょこうしょ》

細部にこだわらないで全体を見通す大きな観点。

大同小異《だいどうしょうい》

多少の違いがあるだけで、おおよそ同じであること。似たり寄ったり。類語に「同工異曲」がある。

多岐亡羊《たきぼうよう》

学問の道が多方面にわたり、分野が広がると、真理を得ることが難しくなるということ。逃げた羊を追いかけながら分かれ道が多いために、とうとう羊を見失ったという故事から。

多事多端《たじたたん》

仕事や事件が多くて忙しいこと。

他力本願《たりきほんがん》

自分で努力せず、もっぱら他人の力をあてにすること。

単刀直入《たんとうちょくにゅう》

たった一本の刀で敵の中に切り込むことから、前置きなしにいきなり要点に入ること。

ち

知者不惑《ちしゃふわく》

本当にかしこい人は道理をわきまえているので、事にあたって判断に迷うことはないということ。

忠言逆耳《ちゅうげんぎゃくじ》

忠告は聞きにくいものだが、自分にとって真にためになるものだということ。「忠言は耳に逆らう」とも読む。

昼夜兼行《ちゅうやけんこう》

昼も夜も休まずに進むこと。転じて、仕事などを続けて行うこと。類語に「不眠不休」がある。

朝三暮四《ちょうさんぼし》

目先の違いに目がくらんで、本質を見極められないこと。飼っていたサルに朝三つ晩四つのトチの実をやったら怒ったので、朝四つ晩三つにしたらサルたちは喜んだという故事から。

朝令暮改《ちょうれいぼかい》

朝命令を出して夕にそれを改めることから、法律や命令がすぐ変わってあてにならないこと。

直情径行《ちょくじょうけいこう》

感情のおもむくままに行動に移すこと。「直」も「径」もまっすぐの意。

沈思黙考《ちんしもっこう》

静かにじっとして、深く考え込むこと。

て

天衣無縫《てんいむほう》

天人の衣には人工的な縫《ぬ》い目がないことから、詩文などで技巧の跡がなく、ごく自然に見えながら完成度の高いこと。

天下無双《てんかむそう》

この世に並ぶ者がいないほど優れていること。「天下無比」「天下第一」ともいう。

電光石火《でんこうせっか》

稲妻の光と火打ち石を打って出る火花。非常に時間の短いこと。また、動作がきわめて速いこと。

天変地異《てんぺんちい》

雷、暴風、地震など、自然界に起こる異変。類語に「天変地変」がある。

と

当意即妙《とういそくみょう》

その場にふさわしいタイミングで即座の機転をきかすこと。

同工異曲《どうこういきょく》

てぎわや技巧は同じだが、趣や味わいが違う。転じて、見かけは違うようでも同じ内容であること。類語に「異曲同工」「大同小異」がある。

同床異夢《どうしょういむ》
いっしょに暮らしてはいるが、別々のことを考えている状態。また同じ仕事にたずさわりながら目標などが異なっていること。

独断専行《どくだんせんこう》
他の人に相談しないで自分一人で判断し、自分の思うまま勝手に実行すること。

怒髪衝天《どはつしょうてん》
人が怒ったとき、髪の毛が逆立ち、天を衝くぐらいにピンと立つこと。大きな怒り。「怒《ど》髪《はつ》天を衝《つ》く」とも読む。

■な

難攻不落《なんこうふらく》
守りが固くて攻め落としにくい。転じて、相手がなかなかこちらの思い通りにならないこと。

南船北馬《なんせんほくば》
あちこち広く旅行すること。中国では、南は川が多いので船を使い、北は山が多くて馬で往来したことによる。

■に

二者択一《にしゃたくいつ》
二つの中から一つを選ぶこと。類語に「**二者選一**」がある。

二束三文《にそくさんもん》
二束でわずか三文の意。多く捨て売りの場合の値段をいう。

日常茶飯《にちじょうさはん》
普段の食事。転じて、ありふれた平凡なものごと。

■は

破顔一笑《はがんいっしょう》
顔をほころばせて笑うこと。

波及効果《はきゅうこうか》
波が広がるように伝わっていく物事の影響。

博学多才《はくがくたさい》
広くいろいろな学問に通じ、多方面にすぐれた才能を持っていること。

薄志弱行《はくしじゃっこう》
意志が弱くて実行力が足りないこと。類語に「**意志薄弱**」「**優柔不断**」がある。

白砂青松《はくしゃせいしょう》
「白砂」は「白沙《さ》」とも書き、また「はくさ」とも読む。白い砂と松の緑。海岸の美しい風景。

博覧強記《はくらんきょうき》
ひろく書物を読み、そのことを記憶していること。「博覧」は物事をよく聞き知る、「強記」は記憶力が強い。

馬耳東風《ばじとうふう》
他人からの意見や批判に無関心で注意を払わないこと。「東風」は心地よい春風。

■ひ

美辞麗句《びじれいく》
美しく飾ったたくみな言葉。主にお世辞を言うための言葉や言いまわし。

百家争鳴《ひゃっかそうめい》
多くの学者が自由に論争すること。

百鬼夜行《ひゃっきやこう》
いろいろな化け物が夜になると動きまわる。転じて、悪人どもが自分勝手なふるまいをすること。

表裏一体《ひょうりいったい》
まったく逆に見える事柄が内面ではつながっており、切り離せないこと。うわべと心中が同じであること。

比翼連理《ひよくれんり》
男女の愛情の深いこと。「比翼」は「比翼の鳥」、「連理」は「連理の枝」。いつも翼を並べて飛ぶ鳥と、二本の木の枝がくっついて木目が一つにつながった枝。

品行方正《ひんこうほうせい》
行い、行状がきちんとして正しいこと。類語に「**聖人君子**《くんし》」がある。

■ふ

武運長久《ぶうんちょうきゅう》
戦いの場での幸運が長く続くこと。

不可抗力《ふかこうりょく》
人の力では防ぎきれない外部からの力。

複雑怪奇《ふくざつかいき》
いろいろなことが込み入って混乱しているため、全体として怪《あや》しく不思議なようすをいう。

複雑多岐《ふくざつたき》
多くのことが込み入って多方面にわたっているさま。類語に「**複雑多様**」がある。

富国強兵《ふこくきょうへい》
国の経済力を高め、軍事力を増強すること。

夫唱婦随《ふしょうふずい》

夫の意見に妻が従うこと。

不即不離《ふそくふり》

つかず離れずの関係を保つこと。

物情騒然《ぶつじょうそうぜん》

世間、世人がおだやかでなく物騒な状態。

不老長寿《ふろうちょうじゅ》

いつまでも年をとらず、長生きすること。類語に**「長生不死」「不老不死」**がある。

付和雷同《ふわらいどう》

自分なりの確固とした考えを持たず、他人の説や判断に軽々しく同調すること。「付和」は「附《ふ》和」とも書く。

粉飾決算《ふんしょくけっさん》

会社の経営内容を実際よりもよく見せるために、決算の数字をごまかすこと。

文人墨客《ぶんじんぼっかく》

「墨客」は「ぼっきゃく」とも読む。詩文・書画にたけ、風雅、風流を求める人。

奮励努力《ふんれいどりょく》

目標を立てて一心に当たる心構え。

へ

平穏無事《へいおんぶじ》

おだやかで、これといったこともなく安らかなこと。類語に**「無事息災」**がある。

変幻自在《へんげんじざい》

出没《しゅつぼつ》や変化が自由自在であること、またそのようす。類語に**「千変万化」「変幻出没《へんげんしゅつぼつ》」**がある。

片言隻句《へんげんせきく》

わずかな言葉。ちょっとした短い言葉。類語に**「一言半句」「片言隻語《せきご》」**がある。

ほ

本末転倒《ほんまつてんとう》

根本となる大事なことと、末節の重要ではない部分とを、取り違えて考えるさま。

む

無我夢中《むがむちゅう》

物事に熱中して自分を忘れ、他のことを顧みないこと。

無病息災《むびょうそくさい》

病気をせず健康で、また災害がなく無事。「息災」は仏の力で災いを止めること。

無味乾燥《むみかんそう》

少しもおもしろみや味わいのないこと。「無味」は趣がない、「乾燥」はうるおいがない。

め

明鏡止水《めいきょうしすい》

くもりのない鏡と静かな水面。転じて、心にくもりがなく静かに落ち着いているさま。

明哲保身《めいてつほしん》

知恵がすぐれて道理によく通じ、物事をうまく処理して安全に身を保つこと。

名論卓説《めいろんたくせつ》

格調高い議論ととりわけすぐれた意見。類語に**「高論卓説」「高論名説」**がある。

滅私奉公《めっしほうこう》

「めっしぼうこう」とも読む。私心を捨てて公のために尽くすこと。「滅私」は私心を捨てる、「奉公」は国や社会のために力を尽くす。

免許皆伝《めんきょかいでん》

武術や芸道などで、師が弟子に、その道の奥義を残らず伝え、その修了を認めること。

面目躍如《めんもくやくじょ》

「面目」は「めんぼく」とも読む。いかにもその人らしい、名誉や評価にふさわしい活躍をするさま。

も

門外不出《もんがいふしゅつ》

秘蔵して、人に見せたり持ち出したりしないこと。貴重なものを、家の門から外へは出さない意。

ゆ

優柔不断《ゆうじゅうふだん》

決断力に乏しく、物事を決める際に、いつまでもぐずぐずして煮え切らない態度、性格。

有名無実《ゆうめいむじつ》

名ばかりで、実質が伴わないこと。評判と実際とが違っていること。

勇猛果敢《ゆうもうかかん》

勇ましくて決断力が強く、屈しないこと。類語に**「進取果敢《かかん》」**がある。

油断大敵《ゆだんたいてき》

注意を怠れば必ず失敗を招くから警戒せよという戒め。類語に**「油断強**

敵」がある。

■よ

用意周到《よういしゅうとう》
心づかいがゆきとどいて手抜かりのないこと。「用意」は心づかい、「周到」は手落ちのないこと。

要害堅固《ようがいけんご》
備えの固いこと。「要害」は地勢が険しく、攻めるのに難しく守るのにたやすい地。

容姿端麗《ようしたんれい》
姿、形がきちんと整っていて美しいこと。

■り

離合集散《りごうしゅうさん》
離れたり集まったりすること。また、そのくりかえし。

立身出世《りっしんしゅっせ》
社会的な地位を確立して名をあげること。

理非曲直《りひきょくちょく》
道理にかなっていることとはずれていること。

粒粒辛苦《りゅうりゅうしんく》
米を作る農民のつらさは一通りでないこと。転じて、こつこつと努力や苦労をすること。

理路整然《りろせいぜん》
話や意見や物事の筋道がきちんとしている。対語に「支離滅裂」がある。

臨機応変《りんきおうへん》
その場に臨み変化に応じて最も適当な手段をほどこすこと。そのさま。

■れ

冷汗三斗《れいかんさんと》
ひどく怖い思いをしたり人前で恥じ入ったりするさまの形容。冷や汗をたくさんかくこと。類語に「冷水三斗」がある。

■ろ

老成円熟《ろうせいえんじゅく》
経験が豊富で、人格、知識、技能などが十分に熟練して、豊かな内容を持っていること。

炉辺談話《ろへんだんわ》
いろりのそばで、くつろいでする、よもやま話。

論功行賞《ろんこうこうしょう》
功績を考慮してそれに応じた賞を与えること。

■わ

和魂洋才《わこんようさい》
日本固有の精神と西洋の学問。また、その二つをそなえ持つこと。「和魂」は日本固有の気質、「洋才」は西洋文明伝来の才能。類語に「和魂《わこん》漢才」がある。

〈参考図書〉
『実用・四字熟語辞典』長島猛人 編（成美堂出版）
『漢検・四字熟語辞典・第二版』(公財)日本漢字能力検定協会 編
(公財)日本漢字能力検定協会

「熟語の構成」の考え方

上下同義の関係にある熟語
○＝○型 永久
「永い」と「久しい」と、間に「と」をいれて意味を考える。
価値・温和・終了・愚鈍・精密・屈曲

反対・対応の関係にある熟語
○↕○型 天地
「天」と「地」と、間に「と」をいれて意味を考える。
高低・盛衰・陰陽・進退・昇降・屈伸

修飾語と被修飾語の関係にある熟語
○↓○型 美人
「美しい人」と上から下へと意味を考える。
微動・良識・炉辺・疾走・優遇・湖畔

述語と目的語（補語）の関係にある熟語
○↑○型 握手
「手を握る」と下から上へ、間に「を(に)」をいれて意味を考える。
移籍・排水・遭難・棄権・昇天・喫煙

主語と述語の関係にある熟語
○↓○型 雷鳴
「雷が鳴る」と、間に「が」をいれて意味を考える。
国立・県営・地震・鶏鳴・人造・年少

上の字が下の字の意味を打ち消す熟語
○↑○型 不正
上に「不」「無」「未」「非」がつけばすべてこのタイプと考える。
不足・不在・無休・無視・未知・非常

間違えやすい送りがな

3級・4級配当漢字を中心につくってあります。

○	×　送りすぎ
扱《あつか》う	扱かう
欺《あざむ》く	欺むく
謝《あやま》る	謝まる
慌《あわ》てる	慌わてる
忙《いそが》しい	忙がしい
戒《いまし》める	戒しめる
伺《うかが》う	伺がう
承《うけたまわ》る	承わる
失《うしな》う	失なう
促《うなが》す	促がす
占《うらな》う	占なう
潤《うるお》う	潤おう
怠《おこた》る	怠たる
興《おこ》る	興こる
抑《おさ》える	抑さえる
幼《おさな》い	幼ない
衰《おとろ》える	衰ろえる
驚《おどろ》く	驚ろく
趣《おもむき》	趣き
赴《おもむ》く	赴むく
顧《かえり》みる	顧りみる
輝《かがや》く	輝やく
賢《かしこ》い	賢こい
傾《かたむ》く	傾むく
必《かなら》ず	必らず
汚《きたな》い	汚ない
悔《くや》しい	悔やしい
企《くわだ》てる	企だてる
被《こうむ》る	被むる
快《こころよ》い	快よい
妨《さまた》げる	妨たげる
触《さわ》る	触わる
絞《しぼ》る	絞ぼる
漂《ただよ》う	漂よう
繕《つくろ》う	繕ろう
慎《つつし》む	慎しむ
貫《つらぬ》く	貫ぬく
滞《とどこお》る	滞おる
隣《となり》	隣り
伴《ともな》う	伴なう
慰《なぐさ》める	慰さめる
斜《なな》め	斜なめ
逃《のが》す	逃がす
葬《ほうむ》る	葬むる
施《ほどこ》す	施こす
免《まぬか》れる	免かれる
回《まわ》す	回わす
短《みじか》い	短かい
自《みずか》ら	自から
珍《めずら》しい	珍らしい

○	×　送りたりない
飽《あ》きる	飽る
鮮《あざ》やか	鮮か
味《あじ》わう	味う
改《あらた》める	改る
慈《いつく》しむ	慈む
戒《いまし》める	戒る
後《うし》ろ	後
惜《お》しい	惜い
恐《おそ》ろしい	恐しい
穏《おだ》やか	穏か
衰《おとろ》える	衰る
掲《かか》げる	掲る
兼《か》ねる	兼る
朽《く》ちる	朽る
悔《く》やむ	悔む
詳《くわ》しい	詳い
焦《こ》げる	焦る
異《こと》なる	異る
締《し》める	締る
少《すく》ない	少い
過《す》ごす	過す
確《たし》かめる	確める
尋《たず》ねる	尋る
捕《つか》まえる	捕える
詰《つ》める	詰る
遂《と》げる	遂る
情《なさ》け	情
滑《なめ》らか	滑か
恥《は》ずかしい	恥かしい
控《ひか》える	控る
朗《ほが》らか	朗か
紛《まぎ》らわす	紛わす
柔《やわ》らかい	柔かい
緩《ゆる》やか	緩か

(一) 読み (1×30)

10	9	8	7	6	5	4	3	2	1
20	19	18	17	16	15	14	13	12	11
30	29	28	27	26	25	24	23	22	21

(二) 同音・同訓異字 (2×15)

9	8	7	6	5	4	3	2	1
			15	14	13	12	11	10

(三) 漢字識別 (2×5)

5	4	3	2	1

(四) 熟語の構成 (2×10)

10	9	8	7	6	5	4	3	2	1

第（　）回テスト答案用紙

／200点

10	9	8	7	6	5	4	3	2	1	（五）
										部首 (1×10)

10	9	8	7	6	5	4	3	2	1	（六）
										対義語 類義語 (2×10)

5	4	3	2	1	（七）
					漢字と送りがな (2×5)

10	9	8	7	6	5	4	3	2	1	（八）
										四字熟語 (2×10)

5	4	3	2	1	（九）
・	・	・	・	・	誤字訂正 (2×5)

10	9	8	7	6	5	4	3	2	1	（十）
										書き取り
20	19	18	17	16	15	14	13	12	11	
										(2×20)

 ※コピーしてお使いください。

本書記載の情報は制作時点のものです。受検をお考えの方は、必ずご自身で下記の公益財団法人 日本漢字能力検定協会の発表する最新情報をご確認ください。

公益財団法人 日本漢字能力検定協会
【ホームページ】 https://www.kanken.or.jp/
<本部> 京都市東山区祇園町南側 551 番地
ホームページにある「よくある質問」を読んで該当する質問がみつからなければメールフォームでお問合せください。電話でのお問合せ窓口は 0120－509－315（無料）です。

◆「漢検」「漢字検定」は公益財団法人 日本漢字能力検定協会の登録商標です。

本書に関する正誤等の最新情報は、下記のアドレスでご確認ください。
https://www.seibidoshuppan.co.jp/info/honshi-kanken3-2411

◉ 上記アドレスに掲載されていない箇所で、正誤についてお気づきの場合は、書名・質問事項・氏名・住所（または FAX 番号）を明記の上、**成美堂出版**まで**郵送**または **FAX** でお問い合わせください。**お電話でのお問い合わせはお受けできません。**

◉ 本書の内容を超える質問等にはお答えできませんので、あらかじめご了承ください。また、受検指導などは行っておりません。

◉ ご質問の到着確認後10日前後で、回答を普通郵便またはFAXで発送いたします。

◉ ご質問の受付期限は、2025年10月末日到着分までといたします。ご了承ください。

よくあるお問い合わせ

Q **持っている辞書に掲載されている部首と、本書に掲載されている部首が違いますが、どちらが正解でしょうか？**

A 辞書によっては、部首としているものが異なることがあります。**漢検の採点基準では、「漢検要覧 2～10 級対応 改訂版」（日本漢字能力検定協会発行）で示しているものを正解としています**ので、本書もこの基準に従っています。そのためお持ちの辞書と部首が異なることがあります。

本試験型 漢字検定3級試験問題集 '25年版

2024年12月1日発行

編 著 成美堂出版編集部
発行者 深見公子
発行所 成美堂出版
〒162-8445 東京都新宿区新小川町1-7
電話(03)5206-8151 FAX(03)5206-8159
印 刷 大盛印刷株式会社

ISBN978-4-415-23910-1
落丁·乱丁などの不良本はお取り替えします
定価はカバーに表示してあります

本試験型

漢字検定 試験問題集

'25年版

解答・解説

3級

●常用漢字表にない漢字や読みは不正解にな
ます。
●解答の照合は、漢字の点の有無まで注意して
厳密に行いましょう。
●解答が複数ある場合は、そのうちの一つを
いてあれば正解です。複数の答えを書いた
合は、それらが全部合っていないと正解に
りません。
●踊り字（々）は、正しく使われていれば正解で

◀ 矢印方向に引くと別冊の解答・解説が外れます。

成美堂出版

第1回テスト 解答・解説

問題は本冊 P10~15

（一） 読み

各1点 計30点

グレーの部分は送りがなです

1 ちんれつ
2 ばいせき
3 ほうし
4 すいぼくが
5 ようご
6 れんばい
7 すいはん
8 ちゅうざい
9 そち
10 ろうえい
11 だんかい
12 かんかく
13 しっけ
14 いき
15 しょくぼう
16 こよう
17 たいどう
18 びこう
19 ねんちゃく
20 しんずい
21 さと（り）
22 さむらい
23 あさせ
24 とどこお（った）
25 ひめ
26 ひとふさ
27 あわ（れ）
28 くや（しい）
29 ゆる（やか）
30 あ（げた）

2「陪席《ばいせき》」は身分の高い人と同席すること。
6「廉売《れんばい》」は安売りのこと。
15「嘱望《しょくぼう》」は前途や将来に期待すること。

（二） 同音・同訓異字

各2点 計30点

解答の下は選択肢《し》の漢字です

1 イ 険阻《けんそ》
2 エ 礎石《そせき》
3 ウ 粗食《そしょく》
4 ウ 葬儀《そうぎ》
5 ア 清掃《せいそう》
6 オ 双方《そうほう》
7 ア 怠慢《たいまん》
8 エ 耐久性《たいきゅうせい》
9 イ 交替《こうたい》
10 イ 愛憎《あいぞう》
11 エ 群像《ぐんぞう》
12 ア 贈答品《ぞうとうひん》
13 ウ 遭《あ》う
14 エ 挙《あ》げて
15 イ 当《あ》てて

1「険阻《けんそ》」は険しい、また、険しい場所のこと。
2「礎石《そせき》」は土台の石。基礎。
3「粗食《そしょく》」は粗末な食事のこと。
7「怠慢《たいまん》」は怠けて怠ること。

（三） 漢字識別

各2点 計10点

太字部分は共通する漢字です

1 ウ 禁**忌**《きんき》・**忌**中《きちゅう》・年**忌**《ねんき》
2 コ **虚**栄《きょえい》・空**虚**《くうきょ》・**虚**心《きょしん》
3 ケ 不**吉**《ふきつ》・**吉**事《きちじ》・**吉**兆《きっちょう》
4 ク 暴**虐**《ぼうぎゃく》・**虐**待《ぎゃくたい》・残**虐**《ざんぎゃく》
5 オ 投**棄**《とうき》・**棄**権《きけん》・放**棄**《ほうき》

（四） 熟語の構成

各2点 計20点

1 ア
2 ウ
3 エ
4 イ
5 エ
6 イ
7 ウ
8 オ
9 ウ
10 ア

捕縛《ほばく》 どちらも「つかまえる」の意味。
疾走《しっそう》 疾（はやく）↓走（る）
潜水《せんすい》 潜（る）↑水（に）
甘酸《かんさん》 甘（い）⇕酸（すっぱい）
赴任《ふにん》 赴（く）↑任（地に）
起伏《きふく》 起（きる）⇕伏（せる）
湖畔《こはん》 湖（の）↓畔（ほとり）
無言《むごん》 無（否定）＋言（う）
藩校《はんこう》 藩（昔の国の）↓校（学校）
卑下《ひげ》 どちらも「地位が低い」の意味。

（五）部首

各1点 計10点

グレーの部分は部首名です

1 イ 心（こころ）
2 ア 木（き）
3 ウ 田（た）
4 エ 女（おんな）
5 ア 艹（くさかんむり）
6 ウ 殳（るまた ほこづくり）
7 エ 行（ぎょうがまえ ゆきがまえ）
8 イ 衣（ころも）
9 ウ 飠（しょくへん）
10 イ 口（くち）

（六）対義語・類義語

各2点 計20点

グレーの部分は解答の補足です

1 鎮静《ちんせい》⇔興奮《こうふん》
2 損失《そんしつ》⇔利益《りえき》
3 恩賞《おんしょう》⇔処罰《しょばつ》
4 未満《みまん》⇔超過《ちょうか》
5 創造《そうぞう》⇔模倣《もほう》
6 陳情《ちんじょう》＝具申《ぐしん》
7 即刻《そっこく》＝早速《さっそく》
8 廉価《れんか》＝安価《あんか》
9 不足《ふそく》＝欠乏《けつぼう》
10 敬慕《けいぼ》＝尊敬《そんけい》

（七）漢字と送りがな

各2点 計10点

1 訪《おとず》れ
2 珍《めずら》しい
3 報《むく》いる
4 奮《ふる》い
5 企《くわだ》てる

（八）四字熟語

各2点 計20点

グレーの部分は解答の補足です

1 （我田《がでん》）引水《いんすい》
2 （暗雲《あんうん》）低迷《ていめい》
3 （後生《ごしょう》）大事《だいじ》
4 （屋上《おくじょう》）架屋《かおく》
5 （危急《ききゅう》）存亡《そんぼう》
6 孤城《こじょう》（落日《らくじつ》）
7 熟慮《じゅくりょ》（断行《だんこう》）
8 一騎《いっき》（当千《とうせん》）
9 安心《あんしん》（立命《りつめい》）
10 衣冠《いかん》（束帯《そくたい》）

自分に都合のいいように言ったり行ったりすること。

よくないことが起こりそうな気配。

心を込めて励み、物を大事に扱うこと。

無駄なことを繰り返したり、独創性のないことのたとえ。

危険が迫っていて、生き残るか滅びるかの瀬戸際《せとぎわ》のこと。

勢力も傾き、助けもこない心細いさま。

じっくり考えた上で思い切って実行すること。

一人で多くの敵を相手にできるほど強いこと。

心を安らかにして生死利害に悩まないこと。

昔の貴族の礼服。

（九）誤字訂正

各2点 計10点

グレーの部分は誤字・正字を含む熟語です

	〔誤〕		〔正〕
1	状（約）	→	条（約）
2	霊（時）	→	零（時）
3	冗（習）	→	常（習）
4	授（賞）	→	受（賞）
5	殖（生）	→	植（生）

（十）書き取り

各2点 計40点

グレーの部分は送りがなです

1 愚策《ぐさく》
2 脅迫《きょうはく》
3 揮発《きはつ》
4 近況《きんきょう》
5 玄米《げんまい》
6 微生物《びせいぶつ》
7 華道《かどう》
8 喫茶《きっさ》
9 福祉《ふくし》
10 古墳《こふん》
11 促進《そくしん》
12 絶滅《ぜつめつ》
13 擦《す》（れ）
14 机《つくえ》
15 握《にぎ》（って）
16 偉《えら》（そう）
17 悟《さと》（る）
18 薪《たきぎ》
19 双子《ふたご》
20 抑《おさ》（え）

1「愚策《ぐさく》」は下手な策略のこと。
3「揮発《きはつ》」は通常の温度で液体が気体になる性質のこと。
6「微生物《びせいぶつ》」は非常に小さな生き物の総称のことで、肉眼では観察することができない。
7「華道《かどう》」はいけばなのこと。植物を主に様々な材料を組み合わせて構成し、鑑賞する。
10「古墳《こふん》」は古代の権力者のお墓。様々な種類があり、前方後円墳などが有名。
11「促進《そくしん》」は促して物事を早く進めようとすること。

(一) 読み

各1点 計30点

グレーの部分は送りがなです

1 きぐう
2 ちんつう
3 もほう
4 ぼっとう
5 らんよう
6 せいれん
7 しんすい
8 だっかい
9 たいまん
10 あいかん
11 の(べる)
12 はいせき
13 まんきつ
14 きゅうけい
15 しっそう
16 たいざい
17 せいこう
18 どうほう
19 じょうだん
20 ようせい
21 ひか(え)
22 しめ(った)
23 はなむこ
24 たき
25 ただよ(う)
26 ふく(らんだ)
27 なぐさ(める)
28 すべ(り)
29 にわとり
30 もみじ

5「濫《らん》」には「みだりに」(＝むやみに)という意味がある。「乱用」という表記も用いられている。

9「怠慢《たいまん》」は怠けて怠ること。

(二) 同音・同訓異字

各2点 計30点

解答の下は選択肢《し》の漢字です

1 ア 託児所《たくじしょ》
2 ウ 卓上《たくじょう》
3 オ 択一《たくいつ》
4 イ 大胆《だいたん》
5 エ 鍛錬《たんれん》
6 オ 嘆声《たんせい》
7 エ 改鋳《かいちゅう》
8 ア 抽選《ちゅうせん》
9 オ 駐米《ちゅうべい》
10 オ 騎手《きしゅ》
11 ウ 大企業《だいきぎょう》
12 ア 祈願《きがん》
13 イ 彫《ほ》り
14 ア 掘《ほ》り
15 エ 欲《ほ》しい

3「二者択一《にしゃたくいつ》」は二つのものから一つを選ぶこと。
5「鍛錬《たんれん》」は体などを鍛えること。
6「嘆声《たんせい》」は困ったり感心したりして思わずもらすため息や声。
14「掘《ほ》り出《だ》し物《もの》」は思いがけず手に入った珍しい品のこと。

(三) 漢字識別

各2点 計10点

太字部分は共通する漢字です

1 エ **陳**列《ちんれつ》・**陳**情《ちんじょう》・開**陳**《かいちん》
2 ク **帝**国《ていこく》・皇**帝**《こうてい》・**帝**政《ていせい》
3 コ **凍**死《とうし》・冷**凍**《れいとう》・**凍**傷《とうしょう》
4 ケ **陶**製《とうせい》・**陶**然《とうぜん》・**陶**芸《とうげい》
5 オ **豚**舎《とんしゃ》・養**豚**《ようとん》・**豚**肉《ぶたにく》

(四) 熟語の構成

各2点 計20点

1 ア
2 オ
3 エ
4 ウ
5 イ
6 ア
7 イ
8 ウ
9 ア
10 エ

模倣《もほう》 どちらも「まねる」の意味。
未遂《みすい》 未(否定)＋遂(げる)
翻意《ほんい》 翻(ひるがえす)↑意(見を)
邦楽《ほうがく》 邦(日本の)↓楽(音楽)
興亡《こうぼう》 興(おこる)↕亡(なくなる)
墳墓《ふんぼ》 どちらも「おはか」の意味。
虚実《きょじつ》 虚(うそ)↕実(ほんと)
陰謀《いんぼう》 陰(かげの)↓謀(はかりごと)
欠乏《けつぼう》 どちらも「なくなる」の意味。
耐乏《たいぼう》 耐(える)↑乏(貧乏に)

問題は本冊 P16~21

(五) 部首

グレーの部分は部首名です
各1点 計10点

1 エ 山（やま）
2 ア 儿（ひとあし にんにょう）
3 ア 干（かん いちじゅう）
4 イ 攵（のぶん ぼくづくり）
5 ウ 扌（てへん）
6 エ 革（かくのかわ つくりがわ）
7 イ 木（きへん）
8 ウ 乙（おつ）
9 ア 土（つちへん）
10 エ 𠆢（ひとやね）

(六) 対義語・類義語

グレーの部分は解答の補足です
各2点 計20点

1 膨張《ぼうちょう》⇕収縮《しゅうしゅく》
2 無《む》知《ち》⇕博《はく》識《しき》
3 隆起《りゅうき》⇕沈《ちん》降《こう》
4 借用《しゃくよう》⇕貸《たい》与《よ》
5 束縛《そくばく》⇕解《かい》放《ほう》
6 重態《じゅうたい》＝危《き》篤《とく》
7 使《し》命《めい》＝任《にん》務《む》
8 脱落《だつらく》＝遺《い》漏《ろう》
9 善戦《ぜんせん》＝健《けん》闘《とう》
10 邪魔《じゃま》＝障《しょう》害《がい》

(七) 漢字と送りがな

各2点 計10点

1 潤《うるお》す
2 幼《おさな》い
3 優《すぐ》れ
4 連《つら》ねる
5 崩《くず》れる

(八) 四字熟語

グレーの部分は解答の補足です
各2点 計20点

1 （酒池《しゅち》）肉林《にくりん》
2 （電光《でんこう》）石火《せっか》
3 （志操《しそう》）堅固《けんご》
4 （意気《いき》）投合《とうごう》
5 （信賞《しんしょう》）必罰《ひつばつ》
6 因果《いんが》（応報《おうほう》）
7 権謀《けんぼう》（術数《じゅっすう》）
8 緩急《かんきゅう》（自在《じざい》）
9 気炎《きえん》（万丈《ばんじょう》）
10 酔生《すいせい》（夢死《むし》）

極めてぜいたくな酒宴の意。豪遊の限りを尽くすこと。

極めて短い時間のたとえ。動作がとてもすばやいこと。

主義や志がしっかりと定まっていて、容易にはくずれないこと。

お互いの気持ちや考えがぴったり一致すること。気が合うこと。

賞罰のけじめを厳正にすること。

よい行いにはよい報いが、悪い行いには悪い報いがある意味。

人を欺くたくらみやはかりごと。

速度などを自由自在に操ること。

大いに意気を上げること。

何もせずにぼんやりと、無駄《だ》に一生を送ること。

(九) 誤字訂正

グレーの部分は誤字・正字を含む熟語です
各2点 計10点

	〔誤〕		〔正〕
1	功積	→	功績
2	独全	→	独善
3	実了	→	魅了
4	間摂	→	間接
5	首籍	→	首席

(十) 書き取り

グレーの部分は送りがなです
各2点 計40点

1 覆面《ふくめん》
2 師匠《ししょう》
3 遵守《じゅんしゅ》
4 源流《げんりゅう》
5 弁護《べんご》
6 凝固点《ぎょうこてん》
7 甲乙《こうおつ》
8 輪郭《りんかく》
9 治療《ちりょう》
10 陵墓《りょうぼ》
11 濃霧《のうむ》
12 掃除《そうじ》
13 掲《かか》（げた）
14 絹《きぬ》
15 鋭《するど》（い）
16 穏《おだ》（やか）
17 砂浜《すなはま》
18 盾《たて》
19 伏《ふ》（せる）
20 侍《さむらい》

2「師匠《ししょう》」は学問や芸術などを教える人のこと。

3「遵守《じゅんしゅ》」は法律や決まりなどに従い、守ること。

4「源流《げんりゅう》」は川の一番の源のこと。川の始まり。起源。

6「凝固点《ぎょうこてん》」は液体が固体に変化する温度のこと。特に水が氷へ変化する温度のことを氷点と呼ぶ。

7「甲乙《こうおつ》つけがたい」はどちらが優れているか判断が難しいこと。

8「輪郭《りんかく》」物の周りを形作っている線のこと。

10「陵墓《りょうぼ》」は天皇・皇后など皇族を葬る所。

問題は本冊P22~27

(一) 読み

各1点 計30点

グレーの部分は送りがなです

1 しっつい
2 しゅっぱん
3 けっぺき
4 ぼうりゃく
5 よくせい
6 だんろ
7 せきはい
8 ちょうこく
9 そまつ
10 かじつ
11 はいた
12 かんわ
13 きじく
14 ぎょうし
15 しょうぎ

16 たくいつ
17 かんだか(い)
18 いっせき
19 ごらく
20 ばんしょう
21 あわ(てて)
22 こと
23 う(け)
24 うば(われた)
25 なえぎ
26 すみ
27 ほのお
28 あや(しい)
29 くじら
30 じゃり

10「佳日《かじつ》」は縁起のよい日、めでたい日のこと。
13「機軸《きじく》」は根本的なやり方。
17「甲」の「コウ・カン」は共に音読み。

(二) 同音・同訓異字

各2点 計30点

解答の下は選択肢《し》の漢字です

1 イ 陳述《ちんじゅつ》
2 ウ 鎮圧《ちんあつ》
3 オ 珍味《ちんみ》

4 ウ 悔恨《かいこん》
5 ア 商魂《しょうこん》
6 オ 紫紺《しこん》

7 ア 吐息《といき》
8 イ 北斗《ほくと》
9 ウ 塗布《とふ》

10 イ 冷凍庫《れいとうこ》
11 ア 陶器《とうき》
12 オ 天然痘《てんねんとう》

13 ウ 占《し》めた
14 エ 閉《し》めた
15 イ 締《し》めて

2「鎮圧《ちんあつ》」は騒ぎを力で押さえつけ鎮めること。
4「悔恨《かいこん》」は悔いて自分の行いを後悔し、残念に思うこと。
6「紫紺《しこん》」は紫色を帯びた紺色。
9「塗布《とふ》」は塗りつけること。

(三) 漢字識別

各2点 計10点

太字部分は共通する漢字です

1 ウ **帆**《ほ》柱《ばしら》・**帆**《はん》布《ぶ》・白《しら》**帆**《ほ》
2 ク 同《どう》**伴**《はん》・**伴**《ばん》奏《そう》・相《しょう》**伴**《ばん》
3 コ 南《なん》**蛮**《ばん》・**蛮**《ばん》勇《ゆう》・野《や》**蛮**《ばん》
4 エ **卑**《ひ》下《げ》・野《や》**卑**《ひ》・**卑**《ひ》屈《くつ》
5 オ **漂**《ひょう》白《はく》・**漂**《ひょう》着《ちゃく》・**漂**《ひょう》流《りゅう》

(四) 熟語の構成

各2点 計20点

1 エ
2 イ
3 ア
4 オ
5 ア
6 ウ
7 ア
8 イ
9 ウ
10 ウ

免職《めんしょく》 免(解かれる)⬆職(仕事を)
点滅《てんめつ》 点(つく)⬍滅(きえる)
動揺《どうよう》 どちらも「うごく」の意味。
未完《みかん》 未(否定)+完(成)
抑圧《よくあつ》 どちらも「おさえつける」の意味。
密封《みっぷう》 密(すきまなく)⬇封(閉じる)
抱擁《ほうよう》 どちらも「だきあう」の意味。
抑揚《よくよう》 抑(える)⬍揚(げる)
家畜《かちく》 家(の)⬇畜(動物)
濫伐《らんばつ》 濫(むやみに)⬇伐(切る)

（五）部首

グレーの部分は部首名です

各1点 計10点

1 ウ ロ（くちへん）
2 ア 羊（ひつじ）
3 エ 木（き）
4 イ 立（たつ）
5 イ 艹（くさかんむり）
6 ウ 幺（よう いとがしら）
7 エ 糸（いと）
8 ア 足（ひき）
9 ウ 虍（とらがしら とらかんむり）
10 ア 衣（ころも）

（六）対義語・類義語

グレーの部分は解答の補足です

各2点 計20点

1 没後《ぼつご》⇔生前《せいぜん》
2 無能《むのう》⇔敏腕《びんわん》
3 興隆《こうりゅう》⇔滅亡《めつぼう》
4 雄飛《ゆうひ》⇔雌伏《しふく》
5 和解《わかい》⇔紛争《ふんそう》
6 弁解《べんかい》＝釈明《しゃくめい》
7 冷静《れいせい》＝沈着《ちんちゃく》
8 憂慮《ゆうりょ》＝心配《しんぱい》
9 将来《しょうらい》＝前途《ぜんと》
10 専念《せんねん》＝没頭《ぼっとう》

（七）漢字と送りがな

各2点 計10点

1 補《おぎな》っ
2 朗《ほが》らかに
3 乏《とぼ》しい
4 育《はぐく》む
5 和《やわ》らぐ

（八）四字熟語

グレーの部分は解答の補足です

各2点 計20点

1 （一刀《いっとう》）両断《りょうだん》
2 （出処《しゅっしょ》）進退《しんたい》
3 （縦横《じゅうおう》）無尽《むじん》
4 （晴耕《せいこう》）雨読《うどく》
5 （有為《うい》）転変《てんぺん》
6 砂上《さじょう》の（楼閣《ろうかく》）
7 新陳《しんちん》（代謝《たいしゃ》）
8 奇想《きそう》（天外《てんがい》）
9 心頭《しんとう》（滅却《めっきゃく》）
10 鶏口《けいこう》（牛後《ぎゅうご》）

1 きっぱりと決断して物事を思い切って処理すること。
2 とどまるかいなかの自分の身の振り方。
3 自由自在に物事を行うさま。思う存分に振る舞うさま。
4 悠悠《ゆうゆう》自適の暮らしをすること。
5 この世の全てのものは常に変化し、少しもとどまらないこと。
6 長続きしない物事のたとえ。
7 古いものが次第になくなり、新しいものに入れ替わること。
8 普通では思いもよらない奇抜なこと。
9 心の中の雑念を取り去ること。
10 大きなものの後ろにつくより、小さなものの頭になるべきの意味。

（九）誤字訂正

グレーの部分は誤字・正字を含む熟語です

各2点 計10点

	〔誤〕		〔正〕
1	存大	→	尊大
2	会い	→	遭い
3	親続	→	親族
4	掃甲車	→	装甲車
5	先粗	→	先祖

（十）書き取り

グレーの部分は送りがなです

各2点 計40点

1 徐徐《じょじょ》 徐々《じょじょ》
2 漏電《ろうでん》
3 一貫《いっかん》
4 巧妙《こうみょう》
5 地獄《じごく》
6 却下《きゃっか》
7 姓名《せいめい》
8 結婚《けっこん》
9 一斤《いっきん》
10 鉱脈《こうみゃく》
11 率先《そっせん》
12 降水《こうすい》
13 隔《へだ》（たり）
14 蚕《かいこ》
15 励《はげ》（んだ）
16 乾《かわ》（く）
17 華《はな》（やか）
18 遂《と》（げる）
19 悔《く》（い）
20 翼《つばさ》

2「漏電《ろうでん》」は電線の絶縁不良や機械の故障などが原因で、電気がもれて流れること。
3「一貫《いっかん》」は最初に示した考え方や方法などを最後まで貫き通すこと。
4「巧妙《こうみょう》」は非常にすぐれていてたくみなこと。
6「却下《きゃっか》」は提案や申し出などを断ること。
7「姓名判断《せいめいはんだん》」は名字と名前から運勢を判断すること。
11「率先《そっせん》」は皆に先立ち行動すること。

(一) 読み

各1点 計30点

グレーの部分は送りがなです

1 ていこく
2 ばっさい
3 けつぼう
4 じゅんすい
5 どうよう
6 らくたん
7 ほんやく
8 きょうぐう
9 しゅくえん
10 はろう
11 かんじょう
12 じあい
13 きょうはく
14 しょうど
15 たくえつ
16 きっか・きくか
17 ほんせき
18 こ
19 きひ
20 たんこう
21 かた(い)
22 ことぶき
23 お(しい)
24 きた(える)
25 おもむ(いた)
26 う(める)
27 なぐ(り)
28 きも
29 かしこ(い)
30 けいだい

2「伐採《ばっさい》」は森の木々を切り倒すこと。
7「翻訳《ほんやく》」はある言語で書かれた文書を別の言語へと変換すること。
12「慈愛《じあい》」は子を慈《いつく》しみかわいがるような深い愛情のこと。

(二) 同音・同訓異字

各2点 計30点

解答の下は選択肢《し》の漢字です

1 オ 帆走《はんそう》
2 ア 同伴《どうはん》
3 イ 湖畔《こはん》
4 オ 恋慕《れんぼ》
5 イ 暮色《ぼしょく》
6 ウ 家計簿《かけいぼ》
7 ウ 符合《ふごう》
8 エ 普段着《ふだんぎ》
9 ア 腐心《ふしん》
10 ウ 覆面《ふくめん》
11 イ 起伏《きふく》
12 ア 増幅《ぞうふく》
13 イ 飽《あ》き
14 エ 荒《あ》れ
15 ウ 浴《あ》びせた

1「帆走《はんそう》」は帆をかけて走ること。
2「同伴《どうはん》」は一緒《しょ》に行く。
3「湖畔《こはん》」は湖のほとり(そば)。
5「暮色《ぼしょく》」は夕暮れの薄暗い色合いのこと。夕暮れの景色。
9「腐心《ふしん》」はあることを成し遂げようと心をくだくこと。

(三) 漢字識別

各2点 計10点

太字部分は共通する漢字です

1 キ **紛**争《ふんそう》・内**紛**《ないふん》・**紛**失《ふんしつ》
2 ウ 公**募**《こうぼ》・**募**集《ぼしゅう》・急**募**《きゅうぼ》
3 オ 異**邦**《いほう》・**邦**楽《ほうがく》・**邦**訳《ほうやく》
4 ケ **芳**志《ほうし》・**芳**名《ほうめい》・**芳**香《ほうこう》
5 コ **偶**数《ぐうすう》・**偶**像《ぐうぞう》・配**偶**者《はいぐうしゃ》

(四) 熟語の構成

各2点 計20点

1 ア
2 ウ
3 オ
4 ウ
5 エ
6 ウ
7 イ
8 イ
9 ア
10 エ

霊魂《れいこん》 どちらも「たましい」の意味。
暖炉《だんろ》 暖(かい)↓炉(いろり)
非礼《ひれい》 非(否定)+礼(儀)
敏腕《びんわん》 敏(さとい)↓腕(能力)
漏電《ろうでん》 漏(れる)↑電(気が)
廉価《れんか》 廉(安い)↓価(値段)
出没《しゅつぼつ》 出(る)↕没(かくれる)
経緯《けいい》 経(たていと)↕緯(よこいと)
完了《かんりょう》 どちらも「終える」の意味。
排他《はいた》 排(する)↑他(を)

問題は本冊 P28~33

（五）部首

グレーの部分は部首名です

各1点 計10点

1 エ 幺《よう》（いとがしら）
2 ア 隹（ふるとり）
3 エ 八（はち）
4 イ ッ（つかんむり）
5 ウ 大（だい）
6 ウ 日（ひ）
7 ア 心（こころ）
8 イ 氵（さんずい）
9 ウ 扌（てへん）
10 エ 頁（おおがい）

（六）対義語・類義語

グレーの部分は解答の補足です

各2点 計20点

1 悪魔《あくま》⇔天使《てんし》
2 納入《のうにゅう》⇔徴収《ちょうしゅう》
3 相違《そうい》⇔一致《いっち》
4 分裂《ぶんれつ》⇔統一《とういつ》
5 栄達《えいたつ》⇔零落《れいらく》
6 放浪《ほうろう》＝漂泊《ひょうはく》
7 職務《しょくむ》＝任務《にんむ》
8 誘導《ゆうどう》＝案内《あんない》
9 分別《ふんべつ》＝思慮《しりょ》
10 了承《りょうしょう》＝納得《なっとく》

（七）漢字と送りがな

各2点 計10点

1 欺《あざむ》く
2 営《いとな》む
3 抑《おさ》える
4 映《は》える
5 易《やさ》しい

（八）四字熟語

グレーの部分は解答の補足です

各2点 計20点

1 （厚顔《こうがん》）無恥《むち》
2 （取捨《しゅしゃ》）選択《せんたく》
3 （以心《いしん》）伝心《でんしん》
4 （威風《いふう》）堂堂《どうどう》
5 （富国《ふこく》）強兵《きょうへい》
6 起死《きし》（回生《かいせい》）
7 勇猛《ゆうもう》（果敢《かかん》）
8 鯨飲《げいいん》（馬食《ばしょく》）
9 雲散《うんさん》（霧消《むしょう》）
10 清廉《せいれん》（潔白《けっぱく》）

厚かましくて恥知らずなさま。
よいもの、必要なものを選び取り、不要なものは捨てること。
考えなどが言葉を使わずに、互いの心から心に伝わること。
重々しくどっしりと威厳に満ちているようす。
国の経済力を高め、軍事力を増強すること。
危機的な状況を立て直し、一気に勢いを盛り返すこと。
勇ましく力強く、決断力があること。思いきりがよく屈しないこと。
一度にたくさんのものを飲み食いすること。
物事が消えてなくなること。
私利私欲がなく、やましいところがない様子。

（九）誤字訂正

グレーの部分は誤字・正字を含む熟語です

各2点 計10点

〔誤〕〔正〕

1 架けて → 掛けて
2 日記張 → 日記帳
3 価知 → 価値
4 拓配 → 宅配
5 最高調 → 最高潮

（十）書き取り

グレーの部分は送りがなです

各2点 計40点

1 聴力《ちょうりょく》
2 教壇《きょうだん》
3 野蛮《やばん》
4 衆人《しゅうじん》
5 清純《せいじゅん》
6 剣道《けんどう》
7 発酵《はっこう》
8 卓越《たくえつ》
9 審美眼《しんびがん》
10 犠牲《ぎせい》
11 射的《しゃてき》
12 緊張《きんちょう》
13 慰《なぐさ》（め）
14 姫君《ひめぎみ》
15 掘《ほ》（って）
16 淡《あわ》（い）
17 曇《くも》（って）
18 隣《となり》
19 殊《こと》
20 滝《たき》

3「野蛮《やばん》」は文化が開けていないこと。無教養で粗野なこと。
4「衆人《しゅうじん》」は大勢の人のこと。
7「発酵《はっこう》」は微生物の働きによってあるものが別のものへ作りかえられること。
8「卓越《たくえつ》」はほかよりも群を抜いて優れていること。
9「審美眼《しんびがん》」は美しいものを見極める能力のこと。
10「犠牲《ぎせい》」はある目的のために命や大切なものをささげること。
11「射的《しゃてき》」はお祭りなどの出店で行われる的に弾を当てる遊びのこと。
19「殊《こと》のほか」は自分が思っていたよりも一層という意味。

(一) 読み

グレーの部分は送りがなです

各1点 計30点

1 かいてい
2 ばんそう
3 ぼじょう
4 かんり
5 ずいこう
6 ぼうだい
7 かいろう
8 きそ
9 おうしゅう
10 ゆうかん
11 ほげい
12 きんじ
13 はれんち
14 こどく
15 かいこ
16 いたく
17 しょうあく
18 こうりょう
19 びょうま
20 せっしゅ
21 しぼ(る)
22 うるお(う)
23 い(る)
24 ふ(せ)
25 おろ(し)
26 ほ(る)
27 また
28 かんむり
29 そこ(ねた)
30 まぼろし

4「官吏《かんり》」は役人。

13「廉恥《れんち》」は心が清らかで、恥ずべきことを知っていること。「破廉恥《はれんち》」はそれを破るので、不正を行って平気でいること。

(二) 同音・同訓異字

解答の下は選択肢《し》の漢字です

各2点 計30点

1 イ 紛失《ふんしつ》
2 エ 後円墳《こうえんふん》
3 ウ 奮戦《ふんせん》
4 ウ 記念碑《きねんひ》
5 ア 卑見《ひけん》
6 オ 疲労《ひろう》
7 イ 邦人《ほうじん》
8 ア 崩落《ほうらく》
9 ウ 奉職《ほうしょく》
10 ウ 妨害《ぼうがい》
11 ア 耐乏《たいぼう》
12 オ 冷房《れいぼう》
13 ウ 伏《ふ》し
14 イ 更《ふ》ける
15 オ 踏《ふ》み

3「奮戦《ふんせん》」は力いっぱい戦うこと。
5「卑見《ひけん》」は自分の意見をへりくだっていう言葉。
7「在留邦人《ざいりゅうほうじん》」は外国に住んでいる日本人のこと。
8「崩落《ほうらく》」は崩れ落ちること。
9「奉職《ほうしょく》」は公の職につくこと。

(三) 漢字識別

太字部分は共通する漢字です

各2点 計10点

1 ク **没**頭《ぼっとう》・沈**没**《ちんぼつ》・**没**入《ぼつにゅう》
2 キ **魔**性《ましょう》・邪**魔**《じゃま》・**魔**神《まじん》
3 ケ 不**滅**《ふめつ》・明**滅**《めいめつ》・**滅**多《めった》
4 オ 御**免**《ごめん》・**免**状《めんじょう》・**免**許《めんきょ》
5 ウ **殿**堂《でんどう》・神**殿**《しんでん》・湯**殿**《ゆどの》

(四) 熟語の構成

各2点 計20点

1 ウ
2 ア
3 エ
4 ウ
5 イ
6 ア
7 ア
8 オ
9 ウ
10 エ

怪力《かいりき》 怪（並みはずれて強い）↓力
平穏《へいおん》 どちらも「おだやかである」の意味。
翻意《ほんい》 翻（ひるがえす）↑意（見を）
邪心《じゃしん》 邪（よこしまな）↓心
甲乙《こうおつ》 甲⇕乙
華麗《かれい》 どちらも「はなやか」の意味。
喜悦《きえつ》 どちらも「よろこぶ」の意味。
無欲《むよく》 無（否定）＋欲（望）
鐘楼《しょうろう》 鐘（かねのある）↓楼（高い建物）
慰霊《いれい》 慰（なぐさめる）↑霊（たましいを）

(五) 部首

グレーの部分は部首名です　各1点 計10点

1 エ　ェ（たくみへん）
2 エ　广（まだれ）
3 ア　臼（うす）
4 ウ　田（た）
5 イ　豕（ぶた いのこ）
6 エ　鬼（おに）
7 イ　犭（けものへん）
8 ア　禾（のぎへん）
9 ウ　土（つち）
10 イ　酉（とりへん）

(六) 対義語・類義語

グレーの部分は解答の補足です　各2点 計20点

1 卑《ひ》属《ぞく》⇔尊《そん》属《ぞく》
2 妨《ぼう》害《がい》⇔協《きょう》力《りょく》
3 高《こう》燥《そう》⇔低《てい》湿《しつ》
4 接《せっ》近《きん》⇔離《り》脱《だつ》
5 正《せい》統《とう》⇔異《い》端《たん》
6 抜《ばつ》群《ぐん》＝卓《たく》越《えつ》
7 不《ふ》安《あん》＝動《どう》揺《よう》
8 策《さく》略《りゃく》＝陰《いん》謀《ぼう》
9 思《し》案《あん》＝考《こう》慮《りょ》
10 請《せい》願《がん》＝陳《ちん》情《じょう》

(七) 漢字と送りがな

各2点 計10点

1 危《あや》ぶむ
2 膨《ふく》らん
3 快《こころよ》く
4 繕《つくろ》う
5 確《たし》かめる

(八) 四字熟語

グレーの部分は解答の補足です　各2点 計20点

1 （驚《きょう》天《てん》）動《どう》地《ち》
2 （終《しゅう》始《し》）一《いっ》貫《かん》
3 （心《しん》頭《とう》）滅《めっ》却《きゃく》
4 （旧《きゅう》態《たい》）依《い》然《ぜん》
5 （新《しん》進《しん》）気《き》鋭《えい》
6 免《めん》許《きょ》（皆《かい》伝《でん》）
7 疑《ぎ》心《しん》（暗《あん》鬼《き》）
8 一《いち》部《ぶ》（始《し》終《じゅう》）
9 自《じ》給《きゅう》（自《じ》足《そく》）
10 感《かん》慨《がい》（無《む》量《りょう》）

世間を非常に驚かすこと。
最初から最後まで、態度などが変わらないこと。
心の中の雑念を取り去ること。
昔からの状態がそのまま続いていて少しも変化、進歩しないさま。
新たに参加したてで非常に意気込み、勢いが盛んなこと。
師が弟子にその道の奥義を残らず伝え、その修了を認めること。
なんでもないことまで怪しく感じられるようになること。
物事の始めから終わりまで。
自分に必要な物を、自ら生産し満ち足りるようにすること。
しみじみとした気持ちがはかり知れないほど大きいこと。

(九) 誤字訂正

グレーの部分は誤字・正字を含む熟語です　各2点 計10点

	〔誤〕		〔正〕
1	悩 貧血	→	脳 貧血
2	波 級	→	波 及
3	審 犯	→	侵 犯
4	輩 後	→	背 後
5	否 訂	→	否 定

(十) 書き取り

グレーの部分は送りがなです　各2点 計40点

1 滑《かっ》走《そう》路《ろ》
2 疾《しっ》風《ぷう》
3 滞《たい》在《ざい》
4 討《とう》論《ろん》
5 恒《こう》例《れい》
6 概《がい》要《よう》
7 休《きゅう》憩《けい》
8 瞬《しゅん》時《じ》
9 哲《てつ》学《がく》
10 帝《てい》国《こく》
11 盛《せい》大《だい》
12 交《こう》換《かん》
13 専《もっぱ》（ら）
14 縫《ぬ》（う）
15 緩《ゆる》（んで）
16 尽《つ》（くす）
17 顧《かえり》（みる）
18 稲《いね》刈《か》（り）
19 鉛《なまり》
20 乏《とぼ》（しい）

2「疾風《しっぷう》」は速く吹く風のこと。はやて。
4「討論《とうろん》」は定められた議題に対して意見を交換し合うこと。
5「恒例《こうれい》」は儀式や行事などがいつも決まって行われること。
6「概要《がいよう》」はおおまかに全体の要点をまとめたもの。
11「盛大《せいだい》」は集会や儀式などが大きくさかんなこと。
17「顧《かえり》みる」は過去を思い起こすこと。自分の言動を振り返る場合は「省《かえり》みる」。

(一) 読み

各1点 計30点

グレーの部分は送りがなです

1 こはん
2 まいぞう
3 ゆうち
4 たいほ
5 ていけつ
6 ろうもん
7 がいきょう
8 しゅっせきぼ
9 たんれん
10 こうおつ
11 の(べる)
12 らんどく
13 けんやく
14 ぎせい
15 しもん
16 そし
17 けいやく
18 じゅだく
19 のうこん
20 じょうしょう
21 ひそ(んで)
22 こ(えて)
23 おお(って)
24 ほろ(ぼされた)
25 おだ(やか)
26 つらぬ(く)
27 やと(う)
28 あおうなばら
29 つな
30 いちじる(しい)

6「楼門《ろうもん》」は二階造りの門。
10「甲乙《こうおつ》つけがたい」は二つのものを区別しがたいこと。
15「諮問《しもん》」は政治上の決定に先立ち、専門家の意見を聞くこと。

(二) 同音・同訓異字

各2点 計30点

解答の下は選択肢《し》の漢字です

1 ウ 陰謀《いんぼう》
2 ア 膨大《ぼうだい》
3 イ 冒頭《ぼうとう》
4 ア 幽玄《ゆうげん》
5 ウ 勧誘《かんゆう》
6 オ 憂国《ゆうこく》
7 ウ 堅実《けんじつ》
8 イ 賢明《けんめい》
9 エ 派遣《はけん》
10 イ 抑留《よくりゅう》
11 ア 一翼《いちよく》
12 ウ 翌日《よくじつ》
13 エ 埋《う》もれた
14 ア 請《う》け
15 イ 熟《う》れて

1「陰謀《いんぼう》」はひそかにたくらむ悪事のこと。悪いはかりごと。
4「幽玄《ゆうげん》」は奥深い趣、余情。
6「憂国《ゆうこく》」は国家について心配すること。
10「抑留《よくりゅう》」は強制的に引き留めておくこと。
11「一翼《いちよく》」は、ここでは一つの役割のこと。

(三) 漢字識別

各2点 計10点

太字部分は共通する漢字です

1 イ 興**隆**《こうりゅう》・**隆**起《りゅうき》・**隆**盛《りゅうせい》
2 ク **猟**師《りょうし》・禁**猟**《きんりょう》・密**猟**《みつりょう》
3 コ 修**錬**《しゅうれん》・**錬**成《れんせい》・精**錬**《せいれん》
4 キ 香**炉**《こうろ》・**炉**辺《ろへん》・暖**炉**《だんろ》
5 ケ 港**湾**《こうわん》・**湾**入《わんにゅう》・**湾**曲《わんきょく》

(四) 熟語の構成

各2点 計20点

1 ア **峡谷**《きょうこく》 どちらも「たに」の意味。
2 エ **換言**《かんげん》 換(える)←言(葉を)
3 ア **壊滅**《かいめつ》 どちらも「こわれてなくなる」の意味。
4 ウ **乾季**《かんき》 乾(いた)→季(節)
5 オ **無類**《むるい》 無(否定)+類(種類)
6 エ **脱藩**《だっぱん》 脱(ぬける)←藩(を)
7 ア **比較**《ひかく》 どちらも「くらべる」の意味。
8 ウ **甘味**《かんみ》 甘(い)→味
9 イ **利害**《りがい》 利↔害
10 イ **緩急**《かんきゅう》 緩(やか)↔急

問題は本冊 P40~45

(五) 部首

グレーの部分は部首名です　各1点　計10点

1 イ 刂(りっとう)
2 イ 亅(はねぼう)
3 ア 疒(やまいだれ)
4 ア 土(つち)
5 エ 扌(てへん)
6 ウ 夕(た ゆうべ)
7 ア 日(ひ)
8 ウ 扌(てへん)
9 エ 土(つち)
10 エ 心(こころ)

(六) 対義語・類義語

グレーの部分は解答の補足です　各2点　計20点

1 拝《はい》啓《けい》⇔敬《けい》具《ぐ》
2 悦《えつ》楽《らく》⇔悲《ひ》哀《あい》
3 依《い》存《ぞん》⇔独《どく》立《りつ》
4 従《じゅう》順《じゅん》⇔強《ごう》情《じょう》
5 一《いっ》般《ぱん》⇔特《とく》殊《しゅ》
6 携《けい》帯《たい》＝持《じ》参《さん》
7 異《い》同《どう》＝相《そう》違《い》
8 改《かい》訂《てい》＝修《しゅう》正《せい》
9 概《がい》略《りゃく》＝大《たい》要《よう》
10 倹《けん》約《やく》＝質《しっ》素《そ》

(七) 漢字と送りがな

各2点　計10点

1 疑《うたが》い
2 極《きわ》めて
3 供《そな》える
4 清《きよ》らかな
5 施《ほどこ》す

(八) 四字熟語

グレーの部分は解答の補足です　各2点　計20点

1 （異《い》口《く》）同《どう》音《おん》
2 （栄《えい》枯《こ》）盛《せい》衰《すい》
3 （換《かん》骨《こつ》）奪《だっ》胎《たい》
4 （単《たん》刀《とう》）直入《ちょくにゅう》
5 （自《じ》暴《ぼう》）自《じ》棄《き》
6 速《そく》戦《せん》（即《そっ》決《けつ》）
7 大《たい》器《き》（晩《ばん》成《せい》）
8 面《めん》目《もく》（躍《やく》如《じょ》）
9 故《こ》事《じ》（来《らい》歴《れき》）
10 人《じん》品《ぴん》（骨《こつ》柄《がら》）

大勢が口をそろえて同じことを言うこと。

人や家などが栄えたり衰えたりすること。

先人を参考にしながら自分なりの表現で新たな作品を作ること。

前置き抜きに、直接本題に入ること。

失敗や失望のために投げやりになり、自分を粗末にすること。

戦いが長引くことをさけて、勝ち負けを一気にその場で決すること。

偉大な人物は、徐々に実力を養い、晩年に大成すること。

世の中の評価に値する活躍をし、生き生きとするさま。

物事の由来や経歴。

人柄や風采《さい》。

(九) 誤字訂正

グレーの部分は誤字・正字を含む熟語です　各2点　計10点

〔誤〕　〔正〕
1 皮普炎 ↓ 皮膚炎
2 薄学 ↓ 博学
3 伴明 ↓ 判明
4 否番 ↓ 非番
5 表識 ↓ 標識

(十) 書き取り

グレーの部分は送りがなです　各2点　計40点

1 仁《に》王《おう》
2 九《く》厘《りん》
3 彫《ちょう》刻《こく》
4 接《せつ》合《ごう》
5 成《せい》績《せき》
6 憶《おく》測《そく》臆《おく》測《そく》
7 閉《へい》鎖《さ》
8 後《こう》悔《かい》
9 駐《ちゅう》車《しゃ》
10 克《こく》服《ふく》
11 無《む》邪《じゃ》気《き》
12 排《はい》気《き》
13 癖《くせ》
14 魂《たましい》
15 生《お》(い)
16 声《こわ》高《だか》
17 煮《に》物《もの》
18 恨《うら》(んで)
19 削《けず》(って)
20 潤《うるお》(した)

1「仁《に》王《おう》立《だ》ち」は仁王の像のようにどっしりと力強く立っている様子のこと。

2「九《く》分《ぶ》九《く》厘《りん》」はほぼ確実であること。百のうち九十九の割合のこと。

6「臆《おく》測《そく》」の「臆」は2級配当漢字。

8「後《こう》悔《かい》先《さき》に立《た》たず」は終わってしまったことをいくら悔やんでも、取り返しはつかないということ。

10「克《こく》服《ふく》」は努力によって困難な状態を乗り越えること。

11「無《む》邪《じゃ》気《き》」は素直でひねくれていないこと。かわいいこと。

16「声《こわ》高《だか》」は声の調子が高くて大きな声のこと。

(一) 読み

グレーの部分は送りがなです　各1点 計30点

1 ばくはん
2 かくまく
3 かんりょう
4 てつがく
5 ちゅうしゅつ
6 すいこう
7 かだん
8 そうけん
9 かんきせん
10 ほうこう
11 しゅうかく
12 きば
13 かいふう
14 じゅんたく
15 けいしゃ
16 さっかしょう
17 りゃくだつ
18 かいこん
19 そち
20 げんそう
21 うら(めしい)
22 こ(がす)
23 つくろ(う)
24 き(き)
25 まぎ(れて)
26 さそ(う)
27 か(ける)
28 はな
29 かえり(みる)
30 つ(く)

1「幕藩体制《ばくはんたいせい》」は江戸《えど》時代における江戸幕府と全国の藩との関係性のこと。

14「潤沢《じゅんたく》」は十分にあること。

16「擦過傷《さっかしょう》」は軽い擦り傷。

(二) 同音・同訓異字

解答の下は選択肢《し》の漢字です　各2点 計30点

1 オ 肝臓《かんぞう》
2 エ 三冠王《さんかんおう》
3 ア 一貫《いっかん》
4 ア 零細《れいさい》
5 イ 励行《れいこう》
6 エ 霊前《れいぜん》
7 ウ 拘束《こうそく》
8 オ 綱紀《こうき》
9 エ 草稿《そうこう》
10 イ 浪人《ろうにん》
11 ウ 廊下《ろうか》
12 ア 郎党《ろうとう》
13 エ 漏《も》れ
14 イ 盛《も》り
15 ア 燃《も》えて

3「首尾一貫《しゅびいっかん》」は始めから終わりまで一つの方針や態度を貫き通すこと。始めと終わりで矛盾しないさま。類語に「終始一貫《しゅうしいっかん》」がある。

4「零細《れいさい》」は非常にわずかなこと。規模などが小さいこと。

5「励行《れいこう》」は規則や自分で決めたことを、きちんと守ること。

(三) 漢字識別

太字部分は共通する漢字です　各2点 計10点

1 イ **哀**願《あいがん》・悲**哀**《ひあい》・**哀**感《あいかん》
2 ケ 満**悦**《まんえつ》・**悦**楽《えつらく》・喜**悦**《きえつ》
3 ク **欧**文《おうぶん》・渡**欧**《とおう》・**欧**風《おうふう》
4 オ 高**架**《こうか》・**架**線《かせん》・書**架**《しょか》
5 エ **怪**力《かいりき》・**怪**談《かいだん》・奇**怪**《きかい》

(四) 熟語の構成

各2点 計20点

1 エ
2 ア
3 オ
4 ア
5 エ
6 イ
7 ウ
8 ウ
9 エ
10 イ

鎮痛《ちんつう》 鎮(める)↑痛(みを)
忌避《きひ》 どちらも「さける」の意味。
未踏《みとう》 未(否定)+踏(む)
恥辱《ちじょく》 どちらも「はじ」の意味。
解雇《かいこ》 解(く)↑雇(用を)
広狭《こうきょう》 広(い)⇕狭(い)
巨匠《きょしょう》 巨(大な)↓匠(たくみ)
奇縁《きえん》 奇(妙な)↓縁
喫煙《きつえん》 喫(する)↑煙(たばこを)
吉凶《きっきょう》 吉(よい)⇕凶(悪い)

問題は本冊 P46~51

(五) 部首

グレーの部分は部首名です

各1点 計10点

1 エ 手（て）
2 エ 食（しょく）
3 ア イ（にんべん）
4 ウ 玄（げん）
5 イ 氵（さんずい）
6 エ 寸（すん）
7 イ 田（た）
8 ウ 大（だい）
9 ア 行（ぎょうがまえ／ゆきがまえ）
10 エ 辰（しんのたつ）

(六) 対義語・類義語

グレーの部分は解答の補足です

各2点 計20点

1 過激《かげき》⇔穏健《おんけん》
2 結末《けつまつ》⇔発端《ほったん》
3 公開《こうかい》⇔秘密《ひみつ》
4 賢明《けんめい》⇔暗愚《あんぐ》
5 攻撃《こうげき》⇔防御《ぼうぎょ》
6 内幕《うちまく》＝裏面《りめん》
7 旅費《りょひ》＝路銀《ろぎん》
8 悔悟《かいご》＝改心《かいしん》
9 創世《そうせい》＝太初《たいしょ》
10 我慢《がまん》＝辛抱《しんぼう》

(七) 漢字と送りがな

各2点 計10点

1 滑《なめ》らか
2 揺《ゆ》らぐ
3 敬《うやま》う
4 結《ゆ》わえる
5 惜《お》しん

(八) 四字熟語

グレーの部分は解答の補足です

各2点 計20点

1 （群雄《ぐんゆう》）割拠《かっきょ》
2 （順風《じゅんぷう》）満帆《まんぱん》
3 （夫唱《ふしょう》）婦随《ふずい》
4 （沈思《ちんし》）黙考《もっこう》
5 （浅学《せんがく》）非才《ひさい》
6 千変《せんぺん》（万化《ばんか》）
7 高論《こうろん》（卓説《たくせつ》）
8 同床《どうしょう》（異夢《いむ》）
9 佳人《かじん》（薄命《はくめい》）
10 白砂《はくしゃ》（青松《せいしょう》）

多くの英雄が各地で勢力を張り、対立すること。
物事が順調に、思い通りに進むこと。
夫の意見に妻が従うこと。
静かにじっとして、深く考え込むこと。
学識が浅く未熟であること。
様々に変化すること。
格調高い議論とりわけ優れた意見。
一緒《しょ》に仕事をする仲間でも、考え方や意見が一致しないこと。
美人には不幸な者や短命な者が多いということ。
白い砂と松の緑。海岸の美しい風景。

(九) 誤字訂正

グレーの部分は誤字・正字を含む熟語です

各2点 計10点

	〔誤〕		〔正〕
1	紛 紛飾	↓	粉 粉飾
2	妨 妨戦	↓	防 防戦
3	促 促座	↓	即 即座
4	手離し	↓	手放し
5	平 平列	↓	並 並列

(十) 書き取り

グレーの部分は送りがなです

各2点 計40点

1 起伏《きふく》
2 細胞《さいぼう》
3 譲渡《じょうと》
4 湾内《わんない》
5 詳細《しょうさい》
6 吉報《きっぽう》
7 阻止《そし》
8 一般《いっぱん》
9 免除《めんじょ》
10 募集《ぼしゅう》
11 添削《てんさく》
12 探査機《たんさき》
13 授《さず》（かる）
14 傷《いた》（んだ）
15 蒸《む》（し）
16 承《うけたまわ》（り）
17 浅瀬《あさせ》
18 為替《かわせ》
19 埋《う》（める）
20 緩《ゆる》（やか）

3 「譲渡《じょうと》」は財産や権利などを譲り渡すこと。
5 「詳細《しょうさい》」は詳しくて細かなこと。
6 「吉報《きっぽう》」は喜ばしいしらせのこと。
9 「免除《めんじょ》」は役目や義務などを果たさずともよいと許すこと。
11 「添削《てんさく》」は他人の文章などを直すこと。
18 「為替《かわせ》」は為替手形や小切手、郵便為替など、現金以外の方法によって金銭を決済する方法の総称。送金手段として用いられる。

(一) 読み

グレーの部分は送りがなです

各1点 計30点

1 ほくと
2 なんばん
3 みりょく
4 りょうけん
5 けいはつ
6 ゆうほう
7 れいとう
8 ちょうえつ
9 いんとく
10 きどう
11 たいざい
12 ろうでん
13 がし
14 ぐけん
15 ざんてい
16 こうぼ
17 ちょうじゅ
18 さつえい
19 へいおん
20 (お)てんば
21 たましい
22 かね
23 おこた(らない)
24 し(まる)
25 くせ
26 うれ(える)
27 か(える)
28 ゆる(める)
29 あわ(ただしい)
30 さみだれ

2「南蛮《なんばん》」は南方の人たちのこと。「南蛮貿易《なんばんぼうえき》」の場合は、ヨーロッパのこと。

14「愚見《ぐけん》」は自分の意見のことをへりくだっていう語。

(二) 同音・同訓異字

解答の下は選択肢《し》の漢字です

各2点 計30点

1 イ 炎天下《えんてんか》
2 オ 宴会《えんかい》
3 エ 縁日《えんにち》
4 ウ 拝観《はいかん》
5 イ 排気《はいき》
6 エ 後輩《こうはい》
7 イ 怪獣《かいじゅう》
8 エ 後悔《こうかい》
9 オ 皆目《かいもく》
10 オ 気鋭《きえい》
11 ア 印影《いんえい》
12 イ 詠嘆《えいたん》
13 イ 掛《か》け
14 ア 飼《か》い
15 エ 欠《か》いた

1「炎天下《えんてんか》」は強い太陽の日射しの下ということ。

8「後悔《こうかい》」は後になって自らの行動を悔やむこと。

10「新進気鋭《しんしんきえい》」は新たに参加したてで非常に意気込み、勢いが盛んなこと。また、その人。

11「印影《いんえい》」ははんこを押したあとのこと。

(三) 漢字識別

太字部分は共通する漢字です

各2点 計10点

1 カ 塊根《かいこん》・土**塊**《どかい》・金**塊**《きんかい》
2 ケ **概**要《がいよう》・大**概**《たいがい》・気**概**《きがい》
3 コ **隔**世《かくせい》・遠**隔**《えんかく》・**隔**離《かくり》
4 ウ **滑**空《かっくう》・円**滑**《えんかつ》・**滑**降《かっこう》
5 エ **炊**事《すいじ》・自**炊**《じすい》・雑**炊**《ぞうすい》

(四) 熟語の構成

各2点 計20点

1 ウ
2 ア
3 エ
4 オ
5 ウ
6 イ
7 ア
8 エ
9 ウ
10 イ

怪力《かいりき》 怪（並みはずれて強い）↓力
遭遇《そうぐう》 どちらも「あう」の意味。
捕鯨《ほげい》 捕（まえる）↑鯨（を）
無粋《ぶすい》 無（否定）＋粋（あか抜けている様子）
偶数《ぐうすう》 偶（二で割り切れる）↓数
賢愚《けんぐ》 賢（い）↕愚（か）
娯楽《ごらく》 どちらも「楽しむ」の意味。
迎春《げいしゅん》 迎（える）↑春（を）
誇示《こじ》 誇（って）↓示（す）
栄枯《えいこ》 栄（える）↕枯（れる）

問題は本冊 P52~57

(五) 部首

グレーの部分は部首名です

各1点 計10点

1 ア 宀（うかんむり）
2 エ 戸（とだれ とかんむり）
3 イ 手（て）
4 エ 辛（からい）
5 ウ 曰（ひらび いわく）
6 イ 女（おんなへん）
7 ア 尢（だいのまげあし）
8 ア ⺮（たけかんむり）
9 ウ 骨（ほねへん）
10 エ 衣（ころも）

(六) 対義語・類義語

グレーの部分は解答の補足です

各2点 計20点

1 遺棄《いき》⇕拾得《しゅうとく》
2 修繕《しゅうぜん》⇕破損《はそん》
3 保守《ほしゅ》⇕革新《かくしん》
4 辞退《じたい》⇕承諾《しょうだく》
5 恒星《こうせい》⇕惑星《わくせい》
6 失望《しつぼう》＝落胆《らくたん》
7 概略《がいりゃく》＝粗筋《あらすじ》
8 幼稚《ようち》＝未熟《みじゅく》
9 不満《ふまん》＝文句《もんく》
10 心服《しんぷく》＝尊敬《そんけい》

(七) 漢字と送りがな

各2点 計10点

1 構《かま》わ
2 快《こころよ》く
3 座《すわ》る
4 脅《おど》かす
5 交《か》わす

(八) 四字熟語

グレーの部分は解答の補足です

各2点 計20点

1 （心《しん》機《き》）一《いっ》転《てん》
2 （意《い》気《き》）衝《しょう》天《てん》
3 （臨《りん》機《き》）応《おう》変《へん》
4 （円《えん》転《てん》）滑《かつ》脱《だつ》
5 （冷《れい》汗《かん》）三《さん》斗《と》
6 明《めい》鏡《きょう》（止《し》水《すい》）
7 美《び》辞《じ》（麗《れい》句《く》）
8 滅《めっ》私《し》（奉《ほう》公《こう》）
9 朝《ちょう》令《れい》（暮《ぼ》改《かい》）
10 波《は》及《きゅう》（効《こう》果《か》）

あることをきっかけに、気持ちがすっかり変わることに、よい方向に気持ちがすっかり変わること。

非常に意気込みが盛んなこと。

その場の状況に応じた適切な行動をとること。

物事をそつなくこなすこと。

ひどく怖い思いをしたり人前で恥じ入ったりするさまの形容。

心によこしまな考えがなく、澄み切っていること。

美しく飾り立てた言葉。うわべだけ飾った内容のない言葉。

私心を捨てて公のために尽くすこと。

法律や命令が出るたびにすぐ変わってあてにならないこと。

波が広がるように伝わっていく物事の影響。

(九) 誤字訂正

グレーの部分は誤字・正字を含む熟語です

各2点 計10点

〔誤〕〔正〕

1 様（水様液）→溶（水溶液）
2 余（余断）→予（予断）
3 万（万点）→満（満点）
4 改（改発）→開（開発）
5 免（免目）→面（面目）

(十) 書き取り

グレーの部分は送りがなです

各2点 計40点

1 卓球《たっきゅう》
2 動揺《どうよう》
3 没頭《ぼっとう》
4 視察《しさつ》
5 基礎《きそ》
6 選択《せんたく》
7 釈明《しゃくめい》
8 祈願《きがん》
9 放棄《ほうき》
10 三隻《さんせき》
11 虚弱《きょじゃく》
12 格段《かくだん》
13 災《わざわ》（い）
14 氏《うじ》
15 又聞《またぎ》（き）
16 桑畑《くわばたけ》
17 尋《たず》（ねた）
18 騒《さわ》（いで）
19 奪《うば》（って）
20 甲高《かんだか》（い）

2「動揺《どうよう》」は平静な心を失うこと。

7「釈明《しゃくめい》」は非難や誤解を受けた際に、自らの事情を説明し他者に理解を求めること。

8「祈願《きがん》」は神や仏などに自分の願いを祈ること。

11「虚弱《きょじゃく》」は体が弱いこと。

12「格段《かくだん》」は物事の程度の差がはなはだしいこと。

13「災《わざわ》い転《てん》じて福《ふく》となす」は災難にあってもそれをうまく活用し、そのまま自分の役立つように利用する様子。「禍《わざわ》い」は常用漢字表の表外の読みなので×。

14「氏《うじ》より育《そだ》ち」は人格の形成には家柄よりも教育や環境が大切であるということ。

問題は本冊 P58~63

(一) 読み

各1点 計30点

グレーの部分は送りがなです

1 とりょう
2 ひれつ
3 せんたく
4 ふんしつ
5 ぜんめつ
6 きゅうりょう
7 こつずい
8 ちぎょ
9 いっそう
10 かくう
11 そせき
12 かんき
13 ぼき
14 しょうとつ
15 こうさく
16 かいさい
17 きじつ・きにち
18 つうこん
19 きょうだん
20 せいこん
21 ゆず(る)
22 ふたご
23 つの(る)
24 かか(げて)
25 とつ(ぐ)
26 くわだ(て)
27 し(める)
28 たずさ(えて)
29 なめ(らか)
30 かわせ

11「礎石《そせき》」は礎《いしずえ》となる石のこと。また、土台や基礎のこと。

17「忌日《きじつ》」は命日。

24「掲《かか》げる」を「揚《あ》げる」と混同しないように注意。

(二) 同音・同訓異字

各2点 計30点

解答の下は選択肢《し》の漢字です

1 ウ 感慨《かんがい》
2 イ 概念《がいねん》
3 ア 該当《がいとう》
4 ア 外郭《がいかく》
5 イ 隔離《かくり》
6 オ 収穫《しゅうかく》
7 ウ 高架線《こうかせん》
8 ア 佳作《かさく》
9 オ 中華《ちゅうか》
10 エ 交換《こうかん》
11 ウ 勇敢《ゆうかん》
12 イ 緩慢《かんまん》
13 エ 慣《な》れる
14 オ 鳴《な》く
15 ウ 泣《な》く

1「感慨深《かんがいぶか》い」はしみじみと感じ入っている様子のこと。

2「概念《がいねん》」は物事のおおまかな意味内容。

4「外郭団体《がいかくだんたい》」は官庁とは別の組織でありながら、官庁から補助金などを受けとり補完的な業務を行う団体のこと。

6「収穫《しゅうかく》」を「収獲」と間違えやすい。使い分けが必要。

(三) 漢字識別

各2点 計10点

太字部分は共通する漢字です

1 エ **堅**気《かたぎ》・**堅**実《けんじつ》・**堅**物《かたぶつ》
2 コ **軒**数《けんすう》・**軒**先《のきさき》・一**軒**《いっけん》
3 ク 神**経**《しんけい》・**経**由《けいゆ》・**経**典《きょうてん》
4 ウ **鯨**油《げいゆ》・**鯨**尺《くじらじゃく》・**鯨**飲《げいいん》
5 オ **墨**跡《ぼくせき》・白**墨**《はくぼく》・**墨**絵《すみえ》

(四) 熟語の構成

各2点 計20点

1 エ
2 イ
3 ウ
4 ウ
5 ア
6 オ
7 イ
8 ウ
9 ア
10 エ

脱獄《だつごく》 脱(ぬける)↑獄(ろうやを)
攻守《こうしゅ》 攻(める)↕守(る)
慈母《じぼ》 慈(いつくしむ)↓母
凍土《とうど》 凍(った)↓土
陳述《ちんじゅつ》 どちらも「のべる」の意味。
無為《むい》 無(否定)＋為(なすこと)
是非《ぜひ》 是(よい)↕非(わるい)
紅茶《こうちゃ》 紅(い)↓茶
超越《ちょうえつ》 どちらも「こえる」の意味。
絞首《こうしゅ》 絞(める)↑首(を)

(五) 部首

グレーの部分は部首名です　各1点 計10点

1 イ 石（いしへん）
2 エ 艹（くさかんむり）
3 ア 心（こころ）
4 エ 辶（しんにょう しんにゅう）
5 エ 衣（ころも）
6 イ 力（ちから）
7 ウ 貝（かいへん）
8 ア 忄（りっしんべん）
9 ウ 戈（ほこづくり ほこがまえ）
10 イ 目（め）

(六) 対義語・類義語

グレーの部分は解答の補足です　各2点 計20点

1 冗《じょう》漫《まん》⇕簡《かん》潔《けつ》
2 穏《おん》健《けん》⇕過《か》激《げき》
3 鋭《えい》敏《びん》⇕鈍《どん》重《じゅう》
4 炎《えん》暑《しょ》⇕厳《げん》寒《かん》
5 遠《えん》隔《かく》⇕近《きん》接《せつ》
6 覚《かく》悟《ご》＝決《けっ》心《しん》
7 経《けい》緯《い》＝事《じ》情《じょう》
8 摂《せっ》取《しゅ》＝吸《きゅう》収《しゅう》
9 意《い》趣《しゅ》＝遺《い》恨《こん》
10 意《い》匠《しょう》＝趣《しゅ》向《こう》

(七) 漢字と送りがな

各2点 計10点

1 再《ふたた》び
2 慰《なぐさ》める
3 失《うしな》う
4 汚《きたな》い
5 志《こころざ》す

(八) 四字熟語

グレーの部分は解答の補足です　各2点 計20点

1 （悪《あく》事《じ》）千《せん》里《り》
2 （温《おん》厚《こう》）篤《とく》実《じつ》
3 （一《いち》意《い》）専《せん》心《しん》
4 （眼《がん》光《こう》）紙《し》背《はい》
5 （起《き》承《しょう》）転《てん》結《けつ》
6 言《ごん》語《ご》（道《どう》断《だん》）
7 空《くう》前《ぜん》（絶《ぜっ》後《ご》）
8 五《ご》里《り》（霧《む》中《ちゅう》）
9 事《じ》実《じつ》（無《む》根《こん》）
10 九牛《きゅうぎゅうの》（一《いち》毛《もう》）

とかく悪い行いや評判は、すぐに広範囲に知れわたるということ。

短気でなくいつも心が安定しており、誠実で信頼するにたる人柄。

他に心を奪われずに、そのことだけに心を向ける。

読解力が高いこと。

漢詩構成法で、特に絶句の句の配列を示す名称。

言葉に表せないくらいひどいこと。もってのほか。

過去に例がなく、今後も起こりそうもないと思われること。

物事の手がかりがつかめず困惑していることのたとえ。

根拠のないうそであること。

取るに足らないささいなこと。

(九) 誤字訂正

グレーの部分は誤字・正字を含む熟語です　各2点 計10点

	〔誤〕		〔正〕
1	小糧理	→	小料理
2	湖伴	→	湖畔
3	経暦書	→	経歴書
4	令拝	→	礼拝
5	労骨	→	老骨

(十) 書き取り

グレーの部分は送りがなです　各2点 計40点

1 車《しゃ》掌《しょう》
2 審《しん》査《さ》
3 請《せい》求《きゅう》
4 崩《ほう》壊《かい》
5 逃《とう》走《そう》
6 墜《つい》落《らく》
7 陶《とう》芸《げい》
8 一《いっ》環《かん》
9 休《きゅう》憩《けい》
10 国《こく》債《さい》
11 粘《ねん》土《ど》
12 鮮《せん》度《ど》
13 膨《ふく》（らんで）
14 交《か》（わす）
15 揚《あ》（げ）
16 操《あやつ》（る）
17 滴《しずく》
18 幼《おさな》（い）
19 盗《ぬす》（まれる）
20 辛《から》（くも）

2「審《しん》査《さ》」は詳しく調べて、価値・優劣・適否・等級などを決めること。

4「山体崩壊《さんたいほうかい》」は山の一部や全体が、地震や噴火によって大規模に崩壊すること。

8「一《いっ》環《かん》」はお互いに密接な関係にあるものの一部分のこと。

10「国《こく》債《さい》」は国が発行する債券のこと。

11「粘《ねん》土《ど》」は水分を加えると粘性を持つ土のこと。

12「鮮《せん》度《ど》」は魚や肉、野菜などの新鮮さの度合いのこと。

解答・解説

問題は本冊P64~69

(一) 読み

各1点 計30点

グレーの部分は送りがなです

1 とうげい
2 せきひ
3 こふん
4 めんきょ
5 むそう
6 しょくりょう
7 ようせい
8 ちっそ
9 せんざい
10 じごく
11 さくじょ
12 しんぽう
13 じょうき
14 そうぎ
15 がいかん

16 ししょう
17 ぐうぜん
18 じゃあく
19 はんかがい
20 きっきょう
21 の(びた)
22 くわ
23 こご(えた)
24 くず(れた)
25 ゆ(れて)
26 さ(いて)
27 すで
28 ゆる(んで)
29 うる(む)
30 おもだ(ち)

5「古今無双《ここんむそう》」で四字熟語になっている。昔から今まで並ぶものがないこと。

10「地獄《じごく》に仏《ほとけ》」は苦しい状態のときの願ってもない助けのこと。

30「面立《おもだ》ち」は顔立ちのこと。容姿。

(二) 同音・同訓異字

各2点 計30点

解答の下は選択肢《し》の漢字です

1 ア 騎乗《きじょう》
2 イ 忌日《きじつ》
3 エ 棄却《ききゃく》
4 オ 吹奏楽《すいそうがく》
5 ウ 炊飯器《すいはんき》
6 ア 心酔《しんすい》
7 ア 海峡《かいきょう》
8 イ 脅威《きょうい》
9 エ 反響《はんきょう》

10 ア 一斤《いっきん》
11 ウ 緊急《きんきゅう》
12 オ 勤勉《きんべん》
13 イ 詰《っ》め
14 エ 就《っ》く
15 ウ 尽《っ》きる

3「棄却《ききゃく》」は捨てて取り上げないこと。

6「心酔《しんすい》」はある人物の作品や人柄などに強くひかれ、心の底から尊敬し慕うこと。また、特定の物事に心を奪われ夢中となること。

9「反響《はんきょう》」は音が何かにぶつかってはね返ってくること。また、何かの影響に対する反応のこと。

(三) 漢字識別

各2点 計10点

太字部分は共通する漢字です

1 カ 命**綱**《いのちづな》・**綱**紀《こうき》・横**綱**《よこづな》
2 オ 装**甲**《そうこう》・**甲**虫《こうちゅう》・**甲**板《かんぱん》
3 イ **黄**金《こがね》・**黄**身《きみ》・**黄**河《こうが》

4 コ 今**更**《いまさら》・変**更**《へんこう》・**更**衣《こうい》
5 ケ 商**魂**《しょうこん》・霊**魂**《れいこん》・面**魂**《つらだましい》

(四) 熟語の構成

各2点 計20点

1 エ
2 ア
3 エ
4 オ
5 イ
6 ウ
7 イ
8 ウ
9 ア
10 ウ

催眠《さいみん》 催(うながす)⬆眠(りを)
孤独《こどく》 どちらも「ひとり」の意味。
搾乳《さくにゅう》 搾(る)⬆乳(を)
未納《みのう》 未(否定)+納(める)
乾湿《かんしつ》 乾(いた)⬍湿(った)
花壇《かだん》 花(の)⬇壇(土を小高く盛り上げたところ)
雌雄《しゆう》 雌(めす)⬍雄(おす)
邪念《じゃねん》 邪(よこしまな)⬇念(おもい)
倹約《けんやく》 どちらも「つづまやか」の意味。
主旨《しゅし》 主(な)⬇旨(考えている内容)

(五) 部首

各1点 計10点

グレーの部分は部首名です

1 エ 十（じゅう）
2 ア 大（だい）
3 エ 金（かねへん）
4 エ 穴（あなかんむり）
5 イ 田（た）
6 イ 月（にくづき）
7 ウ 彡（さんづくり）
8 ア 走（そうにょう）
9 ウ 土（つちへん）
10 イ 馬（うま）

(六) 対義語・類義語

各2点 計20点

グレーの部分は解答の補足です

1 温《おん》暖《だん》⇔寒《かん》冷《れい》
2 精《せい》巧《こう》⇔粗《そ》雑《ざつ》
3 架《か》空《くう》⇔実《じつ》在《ざい》
4 緩《かん》慢《まん》⇔敏《びん》速《そく》
5 求《きゅう》刑《けい》⇔判《はん》決《けつ》
6 有《ゆう》数《すう》＝屈《くっ》指《し》
7 免《めん》職《しょく》＝解《かい》雇《こ》
8 折《せっ》衝《しょう》＝談《だん》判《ぱん》
9 失《しつ》望《ぼう》＝落《らく》胆《たん》
10 殊《しゅ》勝《しょう》＝神《しん》妙《みょう》

(七) 漢字と送りがな

各2点 計10点

1 健《すこ》やかに
2 初《はじ》めて
3 承《うけたまわ》る
4 隔《へだ》てる
5 商《あきな》っ

(八) 四字熟語

各2点 計20点

グレーの部分は解答の補足です

1 （一《いち》陽《よう》）来《らい》復《ふく》
2 （金《きん》科《か》）玉《ぎょく》条《じょう》
3 （舌《した》先《さき》）三《さん》寸《ずん》
4 （寸《すん》鉄《てつ》）殺《さつ》人《じん》
5 （温《おん》故《こ》）知《ち》新《しん》
6 下《か》意《い》（上《じょう》達《たつ》）
7 冠《かん》婚《こん》（葬《そう》祭《さい》）
8 大《だい》同《どう》（小《しょう》異《い》）
9 悪《あっ》口《こう》（雑《ぞう》言《ごん》）
10 危《き》機《き》（一《いっ》髪《ぱつ》）

悪いことや苦しい時期が過ぎて、幸運がやっとめぐりくること。

金や玉のように大切な法律。

口先だけで相手を丸め込むような巧みな弁舌。

短くて鋭いたった一言で、相手の弱点や欠点をつくこと。

古いものをたずね求めて新たな事柄の意味を知ること。

下位の者の意見が上位の者に達すること。

元服、婚礼、葬儀、祖先の祭祀《し》（祭り）の四大礼式のこと。

小さな違いはあるが、だいたい同じであること。

口汚く罵《ののし》ること。さんざん悪口を言うこと。

僅《わず》かな差で、危機的な状況になりそうな瀬戸際《ぎわ》。

(九) 誤字訂正

各2点 計10点

グレーの部分は誤字・正字を含む熟語です

	〔誤〕		〔正〕
1	位下	→	以下
2	適接	→	適切
3	応待	→	応対
4	中準	→	中旬
5	援長戦	→	延長戦

(十) 書き取り

各2点 計40点

グレーの部分は送りがなです

1 零《れい》下《か》
2 翻《ほん》訳《やく》
3 賢《けん》君《くん》
4 欠《けつ》如《じょ》
5 舞《ぶ》台《たい》
6 免《めん》除《じょ》
7 支《し》援《えん》
8 騎《き》手《しゅ》
9 佳《か》境《きょう》
10 戸《こ》籍《せき》
11 病《びょう》魔《ま》
12 増《ぞう》殖《しょく》
13 著《いちじる》（しい）
14 怠《おこた》（らない）
15 控《ひか》（える）
16 頂《いただき》
17 砂《すな》浜《はま》
18 覆《おお》（う）
19 鎖《くさり》
20 扱《あつか》（い）

6「免除《めんじょ》」は役目や義務などを果たさずともよいと許すこと。

9「佳境《かきょう》」は小説などの盛り上がる部分のこと。また、景色のよい所という意味も持つ。

10「戸籍《こせき》」は人が生まれてから死ぬまでの親族関係を登録公証したもの。

12「増殖《ぞうしょく》」は生物や富などが増えて多くなること。

13「著《いちじる》しい」ははっきりとわかるほど目立っていること。明らか。

問題は本冊 P70〜75

(一) 読み

各1点 計30点

グレーの部分は送りがなです

1 てんねんとう
2 きこう
3 ほうかい
4 ゆうへい
5 くりん
6 せきえい
7 しょくたく
8 あいぞう
9 ふんそう
10 きかい
11 にちぼつ
12 ふくし
13 がいとう
14 かちく
15 けいばつ
16 きんきゅう
17 こくふく
18 れいじょう
19 せんぱく
20 けっしょう
21 しぼ(り)
22 から(い)
23 あ(う)
24 こぶた
25 おさ(える)
26 く(いる)
27 もぐ(って)
28 あざむ(かれた)
29 う(れる)
30 した(う)

4「幽《ゆう》」には「ふかい・くらい」という意味がある。人をそのような場所に閉じ込めることを「幽閉《ゆうへい》」という。

6「隻《せき》」は「ひとつ・ひとり」の意味。

(二) 同音・同訓異字

各2点 計30点

解答の下は選択肢《し》の漢字です

1 エ 玄関《げんかん》
2 ア 幻惑《げんわく》
3 イ 厳格《げんかく》
4 オ 掲示《けいじ》
5 ア 小憩《しょうけい》
6 イ 携行《けいこう》
7 ウ 動揺《どうよう》
8 イ 発揚《はつよう》
9 エ 擁護《ようご》
10 ウ 孤児《こじ》
11 オ 弧《こ》
12 イ 枯淡《こたん》
13 イ 打《う》たれて
14 オ 討《う》つ
15 ア 撃《う》つ

2「幻惑《げんわく》」はありもしないことに惑わされること。「眩惑」は常用漢字でないので×。

8「発揚《はつよう》」は気分が高まること。「国威発揚《こくいはつよう》」は国が国外に対して意気を奮い立たせてみせること。

12「枯淡《こたん》」は俗っぽさがなく、あっさりしている中にしぶみがある様子。

(三) 漢字識別

各2点 計10点

太字部分は共通する漢字です

1 オ **執**念《しゅうねん》・**執**筆《しっぴつ》・**執**事《しつじ》
2 ケ **脂**汗《あぶらあせ》・樹**脂**《じゅし》・脱**脂**《だっし》
3 カ 下**手**《へた》・**手**話《しゅわ》・若**手**《わかて》
4 コ **指**令《しれい》・**指**図《さしず》・中**指**《なかゆび》
5 エ **紫**煙《しえん》・**紫**雲《しうん》・若**紫**《わかむらさき》

(四) 熟語の構成

各2点 計20点

1 ア **湿潤**《しつじゅん》 どちらも「しめっている」の意味。
2 イ **伸縮**《しんしゅく》 伸(びる)⇔縮(まる)
3 ア **冗長**《じょうちょう》 どちらも「ながい」の意味。
4 ウ **曇天**《どんてん》 曇(っている)↓天(空の様子)
5 エ **合掌**《がっしょう》 合(わせる)↑掌《てのひら》(を)
6 エ **匿名**《とくめい》 匿(かくす)↑名(前を)
7 イ **昇降**《しょうこう》 昇(る)⇔降(りる)
8 オ **無為**《むい》 無(否定)＋為(おこなう)
9 ウ **初演**《しょえん》 初(めて)↓演(じる)
10 エ **施錠**《せじょう》 施(す)↑錠(を)

（五）部首

グレーの部分は部首名です

各1点 計10点

1 エ 女（おんな）
2 ウ 巾（はば）
3 イ 匸（かくしがまえ）
4 ア 土（つち）
5 ア 土（つち）
6 エ 斗（とます）
7 ウ 冫（にすい）
8 ウ 尸（かばね しかばね）
9 エ 疒（やまいだれ）
10 イ 豕（ぶた いのこ）

（六）対義語・類義語

グレーの部分は解答の補足です

各2点 計20点

1 華美《かび》⇔質素《しっそ》
2 虐待《ぎゃくたい》⇔愛護《あいご》
3 解雇《かいこ》⇔採用《さいよう》
4 縮小《しゅくしょう》⇔拡大《かくだい》
5 怠慢《たいまん》⇔勤勉《きんべん》
6 不穏《ふおん》＝険悪《けんあく》
7 架空《かくう》＝虚構《きょこう》
8 果敢《かかん》＝勇猛《ゆうもう》
9 依頼《いらい》＝委嘱《いしょく》
10 体裁《ていさい》＝外見《がいけん》

（七）漢字と送りがな

各2点 計10点

1 盛《さか》ん
2 赤《あか》らむ
3 勢《いきお》い
4 膨《ふく》らむ
5 新《あたら》しい

（八）四字熟語

グレーの部分は解答の補足です

各2点 計20点

1 （花鳥《かちょう》）風月《ふうげつ》
2 （針小《しんしょう》）棒大《ぼうだい》
3 （一挙《いっきょ》）両得《りょうとく》
4 （青天《せいてん》）白日《はくじつ》
5 （弱肉《じゃくにく》）強食《きょうしょく》
6 創意《そうい》（工夫《くふう》）
7 首尾《しゅび》（一貫《いっかん》）
8 当意《とうい》（即妙《そくみょう》）
9 直情《ちょくじょう》（径行《けいこう》）
10 金城《きんじょう》（湯池《とうち》）

自然の美しい風物。自然の美しさのたとえ。
ささいなことを大げさに誇張して言うこと。
一つの行動によって、同時に二つの利益を得ること。
心にやましいことや後ろめたさもなく、潔白であること。
弱いものが強いものに食われること。生存競争の激しさをいう。
新しいことを考え出し、それを行うための方策を考えること。
最初から最後まで考え方や方針が変わらないこと。
その場にふさわしいタイミングで即座の機転をきかすこと。
自分の感情のままに言ったり行動に表したりすること。
極めて守りの固い城と堀《ほり》。

（九）誤字訂正

グレーの部分は誤字・正字を含む熟語です

各2点 計10点

〔誤〕〔正〕
1 悲顔 → 悲願
2 電火 → 電化
3 危匿 → 危篤
4 目 → 芽
5 新関線 → 新幹線

（十）書き取り

グレーの部分は送りがなです

各2点 計40点

1 炎上《えんじょう》
2 郊外《こうがい》
3 慈善《じぜん》
4 契約《けいやく》
5 派生《はせい》
6 豪雨《ごうう》
7 終了《しゅうりょう》
8 距離《きょり》
9 湖畔《こはん》
10 魅力《みりょく》
11 斜面《しゃめん》
12 衣装《いしょう》
13 苗木《なえぎ》
14 滑《なめ》（らか）
15 奥歯《おくば》
16 誘《さそ》（う）
17 奪《うば》（われた）
18 削《けず》（って）
19 迎《むか》（え）
20 吹《ふ》（いて）

2「郊外《こうがい》」は建物の密集する市街地の周辺にある田園地帯のこと。
3「慈善《じぜん》」は貧しい人や被災者などを援助すること。
4「契約《けいやく》」は約束を交わすこと。また、その約束のこと。
5「派生《はせい》」は大本から枝分かれしてできたもののこと。

問題は本冊 P76~81

(一) 読み

グレーの部分は送りがなです

各1点 計30点

1 ひょうりゅう
2 かんゆう
3 れいこう
4 ほうしょく
5 せっこう
6 ちゅうしょうが
7 しゅうぜん
8 いろう
9 かんがい
10 けいいじばん
11 ようしゃ
12 きんこう
13 きょせい
14 よくあつ
15 ほんい
16 まいそう
17 せっかい
18 じょこう
19 いっせき
20 こうかい
21 と(り)
22 た(けた)
23 にく(む)
24 ねば(る)
25 あ(きて)
26 はだか
27 かたまり
28 おど(し)
29 なま(けて)
30 すこ(やか)

1「漂流《ひょうりゅう》」は船などが漂い流されること。あてもなく流されること。
19「せき」が「夕」の音読み。間違えやすいが、「ゆう」は訓読み。

(二) 同音・同訓異字

解答の下は選択肢《し》の漢字です

各2点 計30点

1 ウ 覚悟《かくご》
2 ア 誤解《ごかい》
3 オ 互角《ごかく》
4 イ 坑道《こうどう》
5 オ 郊外《こうがい》
6 ア 抵抗《ていこう》
7 オ 廉売《れんばい》
8 ウ 錬金術《れんきんじゅつ》
9 イ 恋愛《れんあい》
10 エ 色彩《しきさい》
11 オ 積載《せきさい》
12 ウ 五歳《ごさい》
13 イ 絞《し》める
14 エ 占《し》めた
15 ア 締《し》めて

4「坑道《こうどう》」は特に鉱山などの地下に掘った通路のこと。
5「郊外《こうがい》」は都市部の周辺にある、まだ田園の残っている地域のこと。
7「廉売《れんばい》」は安い値段で商品を売ること。

(三) 漢字識別

太字部分は共通する漢字です

各2点 計10点

1 ウ **殊**勝《しゅしょう》・特**殊**《とくしゅ》・**殊**更《ことさら》
2 ケ **重**責《じゅうせき》・**重**荷《おもに》・貴**重**《きちょう》
3 コ 身**丈**《みたけ》・気**丈**《きじょう》・**丈**夫《じょうぶ》
4 オ 温**床**《おんしょう》・**床**屋《とこや》・**床**下《ゆかした》
5 ク **畳**語《じょうご》・**畳**表《たたみおもて》・青**畳**《あおだたみ》

(四) 熟語の構成

各2点 計20点

1 エ
2 ウ
3 エ
4 ウ
5 オ
6 イ
7 オ
8 ア
9 イ
10 ア

惜別《せきべつ》 惜(しむ)↑別(れを)
賢帝《けんてい》 賢(い)↓帝(皇帝)
入籍《にゅうせき》 入(れる)↑籍(を)
骨髄《こつずい》 骨(の)↓髄(骨の内部の組織)
非道《ひどう》 非(否定)+道(人の守るべき義理)
屈伸《くっしん》 屈(まげる)↕伸(ばす)
無謀《むぼう》 無(否定)+謀(はかりごと)
請願《せいがん》 どちらも「ねがう」の意味。
姓名《せいめい》 姓(名字)↕名(前)
衰弱《すいじゃく》 どちらも「よわる」の意味。

（五）部首

グレーの部分は部首名です

各1点 計10点

1 ウ 艹（くさかんむり）
2 ア 十（じゅう）
3 エ 氵（さんずい）
4 ア 覀（おおいかんむり）
5 エ 寸（すん）
6 イ 女（おんな）
7 ウ 虫（むし）
8 イ 女（おんな）
9 ア 木（きへん）
10 エ 走（そうにょう）

（六）対義語・類義語

グレーの部分は解答の補足です

各2点 計20点

1 錠剤《じょうざい》⇔散薬《さんやく》
2 解放《かいほう》⇔拘束《こうそく》
3 抑制《よくせい》⇔促進《そくしん》
4 慎重《しんちょう》⇔軽率《けいそつ》
5 抽象《ちゅうしょう》⇔具体《ぐたい》
6 傾向《けいこう》＝風潮《ふうちょう》
7 辛苦《しんく》＝難儀《なんぎ》
8 出世《しゅっせ》＝栄達《えいたつ》
9 基礎《きそ》＝土台《どだい》
10 感嘆《かんたん》＝賛美《さんび》

（七）漢字と送りがな

各2点 計10点

1 憎《にく》らしい
2 争《あらそ》い
3 退《しりぞ》く
4 専《もっぱ》ら
5 操《あやつ》り

（八）四字熟語

グレーの部分は解答の補足です

各2点 計20点

1 （先手《せんて》）必勝《ひっしょう》
2 （朝三《ちょうさん》）暮四《ぼし》
3 （南船《なんせん》）北馬《ほくば》
4 （一触《いっしょく》）即発《そくはつ》
5 （同工《どうこう》）異曲《いきょく》
6 前後《ぜんご》（不覚《ふかく》）
7 人事《じんじ》（不省《ふせい》）
8 天衣《てんい》（無縫《むほう》）
9 大山《たいざん》（鳴動《めいどう》）
10 諸行《しょぎょう》（無常《むじょう》）

1 相手より先に攻撃すれば必ず勝つこと。
2 目先の違いに目がくらんで、本質を見極められないこと。
3 あちこち広く旅行すること。
4 対立している勢力が、少し触れ合うだけで爆発しそうな状態のこと。
5 詩文などで、技量が同じでも味わいや趣が異なること。
6 物事の後先も区別できないくらいに正体を失うこと。
7 病気やけがなどで意識を失うこと。
8 詩文などが自然で美しいこと。人柄などが無邪気なこと。
9 大きな山が鳴り動くほどの騒動の割には結果が小さいこと。
10 この世の全ては常に移り変わり、不変のものはないということ。

（九）誤字訂正

グレーの部分は誤字・正字を含む熟語です

各2点 計10点

〔誤〕 〔正〕
1 努めて → 勤めて
2 虐境 → 逆境
3 回答 → 解答
4 悦覧 → 閲覧
5 急援 → 救援

（十）書き取り

グレーの部分は送りがなです

各2点 計40点

1 大胆《だいたん》
2 伐採《ばっさい》
3 募集《ぼしゅう》
4 簿記《ぼき》
5 配慮《はいりょ》
6 紺色《こんいろ》
7 駐車《ちゅうしゃ》
8 大砲《たいほう》
9 闘牛《とうぎゅう》
10 範囲《はんい》
11 宿泊《しゅくはく》
12 光沢《こうたく》
13 秘《ひ》（め）
14 鋳物《いもの》
15 双子《ふたご》
16 頼《たの》（む）
17 膨《ふく》（らませ）
18 漏《も》（れて）
19 潤《うるお》（う）
20 豚《ぶた》

2「伐採《ばっさい》」は山や森などから樹木を切り出すこと。
3「募集《ぼしゅう》」は人や物を集めること。
5「配慮《はいりょ》」は心配りをすること。
12「光沢《こうたく》」は光を受けることによる輝きのこと。つやのこと。
13「秘《ひ》める」は内にもっていること。隠して人に知られないようにすること。
14「鋳物《いもの》」は溶かした金属を型に流し込んで作った金属製品のこと。

(一) 読み

各1点 計30点

グレーの部分は送りがなです

1 きとく
2 ふにん
3 ほうごう
4 ゆうりょ
5 こうしん
6 たくじ
7 そくしん
8 まんえつ
9 こっきしん
10 れいさい
11 ぎゃくたい
12 しちょう
13 かんつう
14 こうそく
15 くっしん
16 そうなん
17 ゆうぐう
18 こくさい
19 きょうぼう
20 じょさい
21 す(れ)
22 おとろ(えた)
23 おこた(る)
24 しば(って)
25 とぼ(しい)
26 はげ(む)
27 へだ(てて)
28 こ(って)
29 まぎ(らわしい)
30 みやげ

9「克己《こっき》」は怠け心や欲・邪念に打ち勝つこと。

20「如才《じょさい》」は礼儀を知らないこと、不作法なこと。「如才《じょさい》ない」は相手の立場や気持ちを察し、その場をうまく処理する様子をいう。

(二) 同音・同訓異字

各2点 計30点

解答の下は選択肢《し》の漢字です

1 エ 負債《ふさい》
2 オ 共催《きょうさい》
3 ア 決済《けっさい》
4 イ 啓発《けいはつ》
5 エ 契機《けいき》
6 ア 鶏頭《けいとう》
7 オ 要旨《ようし》
8 エ 実施《じっし》
9 イ 諮問《しもん》
10 エ 削除《さくじょ》
11 ア 搾乳《さくにゅう》
12 ウ 錯乱《さくらん》
13 ウ 撮《と》り
14 エ 捕《と》り
15 ア 取《と》る

1「負債《ふさい》」は他から金銭や物を借りて返さなくてはならないもの。
7「要旨《ようし》」は述べられたことの重要な点。また、内容のあらまし。
9「諮問《しもん》」は意見を求めること。
12「錯乱《さくらん》」は色々入り乱れて混乱すること。

(三) 漢字識別

各2点 計10点

太字部分は共通する漢字です

1 コ 形**跡**《けいせき》・**跡**目《あとめ》・筆**跡**《ひっせき》
2 オ **寝**相《ねぞう》・**寝**食《しんしょく》・昼**寝**《ひるね》
3 ケ 譲**渡**《じょうと》・**渡**来《とらい》・過**渡**期《かとき》
4 キ **扇**動《せんどう》・舞**扇**《まいおうぎ》・**扇**子《せんす》
5 エ **神**業《かみわざ》・**神**主《かんぬし》・**神**宮《じんぐう》

(四) 熟語の構成

各2点 計20点

1 エ
2 オ
3 ウ
4 ア
5 イ
6 ア
7 イ
8 ウ
9 ア
10 エ

促成《そくせい》 促(す)↑成(長を)
未完《みかん》 未(否定)＋完(成)
愛称《あいしょう》 愛(親愛の気持ち)↓称(呼び名)
潜伏《せんぷく》 どちらも「ひそむ」の意味。
精粗《せいそ》 精(こまかい)⇕粗(い)
新鮮《しんせん》 どちらも「あたらしい」の意味。
愛憎《あいぞう》 愛(する)⇕憎(む)
山賊《さんぞく》 山(の)↓賊
基礎《きそ》 どちらも「土台」の意味。
帰郷《ききょう》 帰(る)↑郷(に)

問題は本冊 P82～87

（五）部首

グレーの部分は部首名です

各1点 計10点

1 ア 大（だい）
2 イ 木（き）
3 ウ 疒（やまいだれ）
4 エ 力（ちから）
5 ア 月（にくづき）
6 ア ノ（の はらいぼう）
7 ウ イ（にんべん）
8 エ 戸（とだれ とかんむり）
9 イ ⺮（たけかんむり）
10 ア ⺗（したごころ）

（六）対義語・類義語

グレーの部分は解答の補足です

各2点 計20点

1 衰退《すいたい》⇔発展《はってん》
2 大綱《たいこう》⇔細目《さいもく》
3 脱出《だっしゅつ》⇔潜入《せんにゅう》
4 乾燥《かんそう》⇔湿潤《しつじゅん》
5 疾走《しっそう》⇔牛歩《ぎゅうほ》
6 炊事《すいじ》＝料理《りょうり》
7 簡単《かんたん》＝手軽《てがる》
8 実施《じっし》＝執行《しっこう》
9 企業《きぎょう》＝会社《かいしゃ》
10 収集《しゅうしゅう》＝採取《さいしゅ》

（七）漢字と送りがな

各2点 計10点

1 断《ことわ》り
2 惜《お》しむ
3 崩《くず》れる
4 短《みじか》い
5 直《ただ》ちに

（八）四字熟語

グレーの部分は解答の補足です

各2点 計20点

1 （則天《そくてん》）去私《きょし》
2 （不老《ふろう》）長寿《ちょうじゅ》
3 （馬耳《ばじ》）東風《とうふう》
4 （一網《いちもう》）打尽《だじん》
5 （破顔《はがん》）一笑《いっしょう》
6 品行《ひんこう》（方正《ほうせい》）
7 忠言《ちゅうげん》（逆耳《ぎゃくじ》）
8 日常《にちじょう》（茶飯《さはん》）
9 大所《たいしょ》（高所《こうしょ》）
10 無病《むびょう》（息災《そくさい》）

自然の道理に従い、せまく小さな自分を捨てて崇《すう》高に生きること。
いつまでも年をとらず、長生きすること。
人の忠告などを心にとめないこと。何を言っても反応がないこと。
一度に悪党の一味や敵対する者全てを捕らえ尽くすこと。
顔を綻《ほころ》ばせて笑うこと。
行い、行状がきちんとして正しいこと。
忠告は聞きにくいものだが、真にためになるものだということ。
毎日のありふれたこと、当たり前のこと。
細部にこだわらないで全体を見通す大きな観点。
病気をせず、健康であること。

（九）誤字訂正

グレーの部分は誤字・正字を含む熟語です

各2点 計10点

	【誤】		【正】
1	表恵	→	表敬
2	形観	→	景観
3	髄時	→	随時
4	検悪	→	険悪
5	厳界	→	限界

（十）書き取り

グレーの部分は送りがなです

各2点 計40点

1 清掃《せいそう》
2 上昇《じょうしょう》
3 数隻《すうせき》
4 託児所《たくじしょ》
5 偶発《ぐうはつ》
6 補助輪《ほじょりん》
7 治療《ちりょう》
8 雄大《ゆうだい》
9 郊外《こうがい》
10 心酔《しんすい》
11 滋養《じよう》
12 天井《てんじょう》
13 下請《したう》（け）
14 塗《ぬ》（り）
15 鍛《きた》（える）
16 慰《なぐさ》（める）
17 肩車《かたぐるま》
18 芝刈《しばか》（り）
19 朽《く》（ち）
20 手袋《てぶくろ》

5「偶発《ぐうはつ》」は偶然に物事が発生すること。
8「雄大《ゆうだい》」は規模がとても大きく堂々としていること。
9「郊外《こうがい》」は建物の密集する市街地の周辺にある田園地帯のこと。
10「心酔《しんすい》」はある物事に心をひかれ、夢中になること。
11「滋養《じよう》」は栄養のこと。栄養になるもののこと。

第14回 テスト 解答・解説

問題は本冊 P88〜93

(一) 読み

グレーの部分は送りがなです

各1点 計30点

1 ぼきん
2 こうよう
3 ふしん
4 ちゅうぞう
5 れいかい
6 けんそ
7 はいえん
8 かんよう
9 けんにょう
10 じっし
11 じゃっかん
12 きょうこく
13 かいちん
14 じゅんしゅ
15 けんさつ

16 じょうまえ
17 きょうこう
18 ほうよう
19 けしん
20 しゅうしふ
21 はか(って)
22 よ(う)
23 てぶくろ
24 ほばしら
25 さまた(げる)
26 さ(いて)
27 おろ(かしい)
28 う(もれ)
29 はた
30 しない

11 古代中国では男子は二十歳で元服する(冠をかぶる)ので、「弱冠《じゃっかん》」は二十歳の男子のことをいう。また、二十歳前後の若さについてもいうことがある。「弱」は「若」と音が通じるので、「弱」も若いという意味を持つ。

(二) 同音・同訓異字

解答の下は選択肢《し》の漢字です

各2点 計30点

1 ウ 突如《とつじょ》
2 ア 徐行《じょこう》
3 オ 除去《じょきょ》
4 エ 技巧《ぎこう》
5 オ 発酵《はっこう》
6 ウ 専攻《せんこう》
7 イ 令嬢《れいじょう》
8 エ 手錠《てじょう》
9 ア 譲歩《じょうほ》

10 ア 豊潤《ほうじゅん》
11 オ 巡業《じゅんぎょう》
12 イ 矛盾《むじゅん》
13 エ 肥《こ》えて
14 オ 焦《こ》げ
15 イ 濃《こ》い

5「発酵《はっこう》」は酵母や細菌《きん》などの微生物の働きにより物質が分解されて、特定の別の物質へ変換されること。

9「譲歩《じょうほ》」は自分の意見を押さえて、他人の意見を尊重すること。

11「巡業《じゅんぎょう》」は各地を興行してまわること。

(三) 漢字識別

太字部分は共通する漢字です

各2点 計10点

1 オ **潜**在《せんざい》・沈**潜**《ちんせん》・**潜**入《せんにゅう》
2 ク 両**替**《りょうがえ》・交**替**《こうたい》・振**替**《ふりかえ》
3 カ **相**席《あいせき》・首**相**《しゅしょう》・**相**違《そうい》

4 コ **双**発《そうはつ》・**双**葉《ふたば》・**双**方《そうほう》
5 エ **粗**筋《あらすじ》・**粗**野《そや》・**粗**相《そそう》

(四) 熟語の構成

各2点 計20点

1 オ
2 ア
3 エ
4 ウ
5 イ
6 ア
7 ウ
8 エ
9 イ
10 ウ

未了《みりょう》 未(否定)+了(完了)
幼稚《ようち》 どちらも「おさない」の意味。
訪欧《ほうおう》 訪(れる)↑欧(ヨーロッパを)
教壇《きょうだん》 教(える)↓壇(一段高い場所)
浮沈《ふちん》 浮(く)⇕沈(む)
駐留《ちゅうりゅう》 どちらも「とどまる」の意味。
淡彩《たんさい》 淡(い)↓彩(いろどり)
免職《めんしょく》 免(解かれる)↑職(仕事を)
諾否《だくひ》 諾(受け入れる)⇕否(拒絶する)
食卓《しょくたく》 食(食事のための)↓卓(テーブル)

(五) 部首

各1点 計10点

グレーの部分は部首名です

1 イ 土（つち）
2 エ 鬼（おに）
3 ア 心（こころ）
4 ウ 氵（さんずい）
5 エ 羽（はね）
6 ア 衤（ころもへん）
7 エ 貝（かい こがい）
8 イ 儿（ひとあし にんにょう）
9 ウ 鬼（きにょう）
10 ア 幺（よう いとがしら）

(六) 対義語・類義語

各2点 計20点

グレーの部分は解答の補足です

1 邪道《じゃどう》⇔正《せい》道《どう》
2 浅瀬《あさせ》⇔深《しん》海《かい》
3 賢兄《けんけい》⇔愚《ぐ》弟《てい》
4 伸長《しんちょう》⇔収縮《しゅうしゅく》
5 偶然《ぐうぜん》⇔必《ひつ》然《ぜん》
6 心酔《しんすい》＝傾《けい》倒《とう》
7 健康《けんこう》＝丈《じょう》夫《ぶ》
8 根幹《こんかん》＝基《き》礎《そ》
9 苦労《くろう》＝辛《しん》酸《さん》
10 不在《ふざい》＝留《る》守《す》

(七) 漢字と送りがな

各2点 計10点

1 導《みちび》く
2 著《いちじる》しい
3 背《そむ》け
4 難《むずか》しい
5 散《ち》らかっ

(八) 四字熟語

各2点 計20点

グレーの部分は解答の補足です

1 （他力《たりき》）本願《ほんがん》
2 （変幻《へんげん》）自在《じざい》
3 （人海《じんかい》）戦術《せんじゅつ》
4 （理非《りひ》）曲直《きょくちょく》
5 （博学《はくがく》）多才《たさい》
6 表裏《ひょうり》（一体《いったい》）
7 武運《ぶうん》（長久《ちょうきゅう》）
8 百家《ひゃっか》（争鳴《そうめい》）
9 油断《ゆだん》（大敵《たいてき》）
10 有名《ゆうめい》（無実《むじつ》）

自分で努力せず、専ら他人の力をあてにすること。
現れたり消えたり、思いのまま変化すること。
多数の人員を投じて仕事を完成させること。
道理にかなっていることと外れていること。
知識が豊富で、多くの分野に才能があること。
逆に見える事柄が内面ではつながっており、切り離せないこと。
戦いの場での幸運が長く続くこと。
多くの学者が自由に論争すること。
注意を怠れば必ず失敗を招くから警戒せよという戒め。
名ばかりが立派で、それに見合う実質がないこと。

(九) 誤字訂正

各2点 計10点

グレーの部分は誤字・正字を含む熟語です

	【誤】		【正】
1	刻白	↓	告白
2	結講	↓	結構
3	考差	↓	考査
4	幕	↓	膜
5	個有	↓	固有

(十) 書き取り

各2点 計40点

グレーの部分は送りがなです

1 模倣《もほう》
2 主軸《しゅじく》
3 隆起《りゅうき》
4 郵便《ゆうびん》
5 存亡《そんぼう》
6 迫力《はくりょく》
7 結晶《けっしょう》
8 離散《りさん》
9 甲《こう》
10 湿度《しつど》
11 暴露《ばくろ》
12 潜伏《せんぷく》
13 憎《にく》（めない）
14 欲《ほ》（しい）
15 翼《つばさ》
16 嫁《とつ》（いだ）
17 稲穂《いなほ》
18 濁《にご》（る）
19 惜《お》（しくも）
20 既《すで》（に）

1「模倣《もほう》」はまねること。手本と同じようにすること。
3「隆起《りゅうき》」は高く盛り上がること。土地が基準面に対して相対的に上昇すること。
5「存亡《そんぼう》」は残り続けることと滅びること。
7「結晶《けっしょう》」は原子や分子などが規則正しく立体的に配置された固体のこと。
8「一家離散《いっかりさん》」は家族が離れ離れになっている様子のこと。
11「暴露《ばくろ》」はさらけ出すこと。とくに他人の悪事や秘密を明るみに出すこと。
12「潜伏《せんぷく》」ひそかに隠れること。

第15回 テスト 解答・解説

問題は本冊
P94~99

(一) 読み

グレーの部分は送りがなです

各1点 計30点

1 ざんじ
2 しょうけい
3 ほうけん
4 どうよう
5 かいぞく
6 ぼうこく
7 えつらん
8 すいび
9 りんかく
10 えんかつ
11 はいき
12 こうそ
13 とくしゅ
14 せつじょく
15 ていけい
16 きんたい
17 ついらく
18 ちんじゅ
19 ぼうちょう
20 ずいひつ
21 ほどこ(す)
22 ほ
23 うなが(す)
24 ともな(う)
25 ぬ(って)
26 あまも(り)
27 か(ける)
28 かか(げる)
29 しばふ
30 なごり

1「暫時《ざんじ》」はしばらくの間、少しの間のこと。
14 現代ではスポーツに関してよく使われる。「雪」には「すすぐ・そそぐ」という意味がある。「辱」は「はずかしめ」。「(前回の敗戦の)はずかしめをすすぐ戦い」が雪辱戦。

(二) 同音・同訓異字

解答の下は選択肢《し》の漢字です

各2点 計30点

1 イ 不審《ふしん》
2 ア 辛抱《しんぼう》
3 ウ 不振《ふしん》
4 ウ 炊事《すいじ》
5 エ 粋人《すいじん》
6 オ 遂行《すいこう》
7 ア 書籍《しょせき》
8 ウ 一隻《いっせき》
9 エ 排斥《はいせき》
10 イ 犠牲《ぎせい》
11 ア 要請《ようせい》
12 ウ 遠征《えんせい》
13 オ 割《さ》いて
14 エ 裂《さ》け
15 イ 避《さ》けて

3「不振《ふしん》」は成績や勢い、業績などがふるわないこと。
5「粋人《すいじん》」は風流を好む人。人情に通じてさばけた人。
9「排斥《はいせき》」は受け入れられずに退けること。
11「要請《ようせい》」は必要だとして強く願い求めること。

(三) 漢字識別

太字部分は共通する漢字です

各2点 計10点

1 コ **鋳**物《いもの》・**鋳**造《ちゅうぞう》・**鋳**型《いがた》
2 オ **沢**水《さわみず》・**沢**山《たくさん》・光**沢**《こうたく》
3 エ **端**数《はすう》・**端**的《たんてき》・道**端**《みちばた》
4 ア 鼓**吹**《こすい》・**吹**奏《すいそう》・**吹**雪《ふぶき》
5 ケ 再**建**《さいけん》・**建**議《けんぎ》・**建**具《たてぐ》

(四) 熟語の構成

各2点 計20点

1 オ
2 ア
3 ウ
4 イ
5 ア
6 ウ
7 イ
8 エ
9 ア
10 エ

非常《ひじょう》 非(否定)+常(普通の状態)
締結《ていけつ》 どちらも「むすぶ」の意味。
塗料《とりょう》 塗(るための)↓料(材料)
濃淡《のうたん》 濃(い)⇕淡(い)
訂正《ていせい》 どちらも「ただしくする」の意味。
曇天《どんてん》 曇(くもっている)↓天(空の様子)
添削《てんさく》 添(加える)⇕削(る)
養豚《ようとん》 養(う)↑豚(を)
隠匿《いんとく》 どちらも「かくす」の意味。
鎮火《ちんか》 鎮(める)↑火(を)

（五）部首

グレーの部分は部首名です　各1点 計10点

1　エ　口（くち）
2　ア　氵（さんずい）
3　ウ　衣（ころも）
4　エ　木（きへん）
5　イ　广（まだれ）
6　ア　亅（はねぼう）
7　エ　氵（さんずい）
8　ウ　犭（けものへん）
9　イ　雨（あめかんむり）
10　ア　厂（がんだれ）

（六）対義語・類義語

グレーの部分は解答の補足です　各2点 計20点

1　地獄《じごく》⇔極楽《ごくらく》
2　追加《ついか》⇔削除《さくじょ》
3　追随《ついずい》⇔率先《そっせん》
4　憎悪《ぞうお》⇔熱愛《ねつあい》
5　超過《ちょうか》⇔未満《みまん》
6　精励《せいれい》＝勤勉《きんべん》
7　説教《せっきょう》＝訓戒《くんかい》
8　邪推《じゃすい》＝疑念《ぎねん》
9　準備《じゅんび》＝用意《ようい》
10　緊急《きんきゅう》＝切迫《せっぱく》

（七）漢字と送りがな

各2点 計10点

1　漂《ただよ》っ
2　肥《こ》やす
3　犯《おか》し
4　必《かなら》ず
5　美《うつく》しい

（八）四字熟語

グレーの部分は解答の補足です　各2点 計20点

1　（二束《にそく》）三文《さんもん》
2　（支離《しり》）滅裂《めつれつ》
3　（無我《むが》）夢中《むちゅう》
4　（百鬼《ひゃっき》）夜行《やこう》
5　（立身《りっしん》）出世《しゅっせ》
6　理路《りろ》（整然《せいぜん》）
7　博覧《はくらん》（強記《きょうき》）
8　天変《てんぺん》（地異《ちい》）
9　門外《もんがい》（不出《ふしゅつ》）
10　好機《こうき》（到来《とうらい》）

非常に安い値段で物品を売ること。

物事に一貫性がなく、ばらばらで道筋が通っていないこと。

一つのことに熱中して、自分を忘れること。

多くの悪人がはびこることのたとえ。

社会的に高い地位を得て、世に認められること。

話や考えの筋道が整っている様子。道理にあてはまっている様子。

広く書物を読み、そのことを記憶していること。

天と地に起こる異変。自然界で起こる台風や地震などの災害。

秘蔵して、人に見せたり持ち出したりしないこと。

ちょうどよい機会がくること。絶好の機会に恵まれること。

（九）誤字訂正

グレーの部分は誤字・正字を含む熟語です　各2点 計10点

	〔誤〕		〔正〕
1	観擦	→	観察
2	廊人	→	浪人
3	祉跡	→	史跡
4	自病	→	持病
5	主席	→	首席

（十）書き取り

グレーの部分は送りがなです　各2点 計40点

1　肝臓《かんぞう》
2　修繕《しゅうぜん》
3　娯楽《ごらく》
4　胎児《たいじ》
5　自律《じりつ》
6　搬入《はんにゅう》
7　刑事《けいじ》
8　繁茂《はんも》
9　快諾《かいだく》
10　如才《じょさい》
11　表裏《ひょうり》
12　卓球《たっきゅう》
13　臨《のぞ》（む）
14　幻《まぼろし》
15　鈍《にぶ》（い）
16　床《とこ》
17　仕掛《しか》（け）
18　賢《かしこ》（かった）
19　惑《まど》（わされ）
20　崩《くず》（れ）

2「修繕《しゅうぜん》」は建物や品物の、壊れたり悪くなったりしたところを直すこと。

5「自律《じりつ》」はよそからの制約などを受けず、自分自身で立てた規範にのっとって行動すること。「自律神経《じりつしんけい》」は自分の意志とは無関係に体の機能をコントロールしている神経のこと。

8「繁茂《はんも》」は草などがとても盛んに茂ること。

9「快諾《かいだく》」は快く承知すること。

10「如才《じょさい》ない」は相手の立場や気持ちを察し、その場をうまく処理する様子をいう。

11「表裏一体《ひょうりいったい》」は一つのものの表と裏を切り離せないように、密接な関係にあること。

矢印方向に引くと別冊の解答・解説が外れます。▶